חֵלֶק ג

חָבֵר לַתּוֹרָה

by

Elias Persky

illustrations by
Ben Einhorn

KTAV PUBLISHING HOUSE

Chaver La Torah III

Design and Art Supervision by EZEKIEL SCHLOSS

Copyright 1962
Printing year: 2017

ISBN 978-0-87068-801-0

KTAV PUBLISHING HOUSE
527 Empire Blvd.
Brooklyn, NY 11225

Website: www.ktav.com
Email: orders@ktav.com
ph: (718)972-5449 / Fax: (718)972-6307

חֵלֶק ג

תּוֹלְדוֹת

יַעֲקֹב וְעֵשָׂו

רִבְקָה, אֵשֶׁת יִצְחָק, יָלְדָה שְׁנֵי בָּנִים, תְּאוֹמִים.
שֵׁם הָאֶחָד עֵשָׂו, וְשֵׁם הַשֵּׁנִי יַעֲקֹב.
עֵשָׂו, אֲשֶׁר נוֹלַד הָרִאשׁוֹן, הָיָה הַבְּכוֹר.
וְיַעֲקֹב, אֲשֶׁר נוֹלַד הַשֵּׁנִי, הָיָה הַצָּעִיר.
עֵשָׂו גָּדַל וְהָיָה לְצַיָּד.
כָּל הַיָּמִים הָיָה בַּשָּׂדֶה וְצָד צַיִד.
יַעֲקֹב הָיָה רוֹעֵה צֹאן.
כָּל הַיָּמִים יָשַׁב בְּאֹהָלִים,
וְשָׁמַר אֶת צֹאן אָבִיו.

עֵשָׂו הָיָה אִישׁ רִיב, אוֹהֵב מִלְחָמוֹת.

יַעֲקֹב הָיָה אִישׁ תָּם, אוֹהֵב שָׁלוֹם.

יִצְחָק אָהַב אֶת עֵשָׂו,

כִּי הֵבִיא לוֹ צַיִד מִן הַשָּׂדֶה,

וְהוּא לֹא רָאָה אֶת הַמַּעֲשִׂים הָרָעִים שֶׁלּוֹ.

רִבְקָה אָהֲבָה אֶת יַעֲקֹב,

כִּי הוּא הָלַךְ בְּדֶרֶךְ אַבְרָהָם וְיִצְחָק.

בַּסִּדְרָה "תּוֹלְדוֹת" כָּתוּב:

וַיִּגְדְּלוּ הַנְּעָרִים.

וַיְהִי עֵשָׂו אִישׁ יוֹדֵעַ צַיִד, אִישׁ שָׂדֶה.

וְיַעֲקֹב אִישׁ תָּם, יוֹשֵׁב אֹהָלִים.

וַיֶּאֱהַב יִצְחָק אֶת עֵשָׂו, כִּי צַיִד בְּפִיו.

וְרִבְקָה אוֹהֶבֶת אֶת יַעֲקֹב.

בְּרֵאשִׁית כה: כז, כח

וַיִּגְדְּלוּ – גָּדְלוּ. צַיִד – hunting. תָּם – אוֹהֵב שָׁלוֹם.
וַיֶּאֱהַב – אָהַב.

הַבְּכוֹרָה

פַּעַם בָּא עֵשָׂו מִן הַשָּׂדֶה,

וְהוּא הָיָה רָעֵב מְאֹד.

עֵשָׂו רָאָה אֶת יַעֲקֹב מְבַשֵּׁל נָזִיד,

נָזִיד אָדֹם שֶׁל עֲדָשִׁים.

עֵשָׂו אָמַר אֶל יַעֲקֹב:

תֵּן לִי לֶאֱכֹל מִן הַנָּזִיד הָאָדֹם הַזֶּה!

כִּי רָעֵב אֲנִי מְאֹד.

אָמַר לוֹ יַעֲקֹב:

מְכֹר לִי אֶת הַבְּכוֹרָה שֶׁלְּךָ,

וְאֶתֵּן לְךָ אֶת הַנָּזִיד.

אָמַר עֵשָׂו:

לָמָּה לִי הַבְּכוֹרָה? אֲנִי צַיָּד.

אֲנִי יָכֹל לָמוּת בַּשָּׂדֶה בְּכָל יוֹם.

קַח לְךָ אֶת הַבְּכוֹרָה וְתֵן לִי אֶת הַנָּזִיד.

וְיַעֲקֹב נָתַן לוֹ לֶחֶם וּנְזִיד עֲדָשִׁים.

מִן הַיּוֹם הַהוּא הָיָה יַעֲקֹב הַבְּכוֹר,

כִּי עֵשָׂו מָכַר לוֹ אֶת הַבְּכוֹרָה בִּנְזִיד עֲדָשִׁים.

בַּסִּדְרָה "תּוֹלְדוֹת" כָּתוּב:

וַיֹּאמֶר עֵשָׂו אֶל יַעֲקֹב:

הַלְעִיטֵנִי נָא מִן הָאָדֹם הָאָדֹם הַזֶּה!

עַל כֵּן קָרָא שְׁמוֹ אֱדוֹם.

וַיֹּאמֶר יַעֲקֹב: מִכְרָה כַיּוֹם אֶת בְּכוֹרָתְךָ לִי.

וַיֹּאמֶר עֵשָׂו: הִנֵּה אָנֹכִי הוֹלֵךְ לָמוּת.

וְלָמָּה זֶה לִי בְּכוֹרָה?

וַיִּמְכֹּר אֶת בְּכוֹרָתוֹ לְיַעֲקֹב.

בְּרֵאשִׁית כה: ל, לא, לב, לג

הַלְעִיטֵנִי – let me swallow down. מִכְרָה – מְכֹר. וַיִּמְכֹּר – מָכַר.

יִצְחָק חָפֵץ לְבָרֵךְ אֶת עֵשָׂו

יִצְחָק הָיָה זָקֵן מְאֹד.

עֵינָיו כָּהוּ, וְהוּא לֹא יָכֹל לִרְאוֹת.

לִפְנֵי מוֹתוֹ חָפֵץ יִצְחָק לְבָרֵךְ אֶת עֵשָׂו,

כִּי הוּא הָיָה הַבֵּן הַבְּכוֹר.

הַבֵּן הַבְּכוֹר הָיָה חָשׁוּב מִכָּל הַבָּנִים.

הוּא הָיָה רֹאשׁ הַמִּשְׁפָּחָה אַחֲרֵי מוֹת הָאָב.

יִצְחָק לֹא יָדַע,

כִּי עֵשָׂו מָכַר אֶת הַבְּכוֹרָה לְיַעֲקֹב.

יִצְחָק לֹא יָדַע, כִּי עֵשָׂו הָיָה אִישׁ רָשָׁע,

וְלֹא הָיָה רָאוּי לִהְיוֹת רֹאשׁ הַמִּשְׁפָּחָה.

יִצְחָק קָרָא לְעֵשָׂו וְאָמַר לוֹ:
לֵךְ אֶל הַשָּׂדֶה וְצוּדָה לִי צַיִד.
עֲשֵׂה מַטְעַמִּים מִן הַצַּיִד וְהָבֵא לִי.
אַחֲרֵי כֵן אֶתֵּן לְךָ אֶת בִּרְכָתִי.
עֵשָׂו הָיָה שָׂמֵחַ מְאֹד,
וְרָץ אֶל הַשָּׂדֶה לְהָבִיא צַיִד לָאָב.

בַּסִּדְרָה "תּוֹלְדוֹת" כָּתוּב:

וַיְהִי כִּי זָקֵן יִצְחָק וַתִּכְהֶיןָ עֵינָיו מֵרְאוֹת, וַיִּקְרָא אֶת עֵשָׂו בְּנוֹ הַגָּדוֹל וַיֹּאמֶר אֵלָיו: הִנֵּנִי.
וַיֹּאמֶר: הִנֵּה נָא זָקַנְתִּי, לֹא יָדַעְתִּי יוֹם מוֹתִי. צֵא הַשָּׂדֶה וְצוּדָה לִי צַיִד וַעֲשֵׂה לִי מַטְעַמִּים כַּאֲשֶׁר אָהַבְתִּי וְאֹכֵלָה, בַּעֲבוּר תְּבָרֶכְךָ נַפְשִׁי בְּטֶרֶם אָמוּת.

בְּרֵאשִׁית כז: א, ב, ג, ד.

וַתִּכְהֶיןָ – כָּהוּ, חָשְׁכוּ. בַּעֲבוּר – in order that.
תְּבָרֶכְךָ – תְּבָרֵךְ אוֹתְךָ. בְּטֶרֶם – לִפְנֵי. מַטְעַמִּים – מַאֲכָלִים טוֹבִים.

רִבְקָה שָׁמְעָה אֶת כָּל דִּבְרֵי יִצְחָק

רִבְקָה עָמְדָה אֵצֶל פֶּתַח הָאֹהֶל,
וְשָׁמְעָה אֶת כָּל דִּבְרֵי יִצְחָק.
רִבְקָה חָפְצָה שֶׁיִּצְחָק יְבָרֵךְ אֶת יַעֲקֹב.
הִיא קָרְאָה לְיַעֲקֹב בְּנָהּ וְאָמְרָה לוֹ:
לֵךְ מַהֵר אֶל הַצֹּאן,
וְהָבֵא לִי שְׁנֵי גְּדָיִים,
וַאֲנִי אֶעֱשֶׂה מַטְעַמִּים לְאָבִיךָ.
אַתָּה תִּקַּח אֶת הַמַּטְעַמִּים לְיִצְחָק,
וְהוּא יְבָרֵךְ אוֹתְךָ בִּמְקוֹם עֵשָׂו.
אָמַר יַעֲקֹב:
הֲלֹא עֵשָׂו אָחִי הוּא אִישׁ שָׂעִיר,
וַאֲנִי אִישׁ חָלָק.

אוּלַי יְמַשֵּׁשׁ אוֹתִי,
וְאָז הוּא יִתֵּן לִי קְלָלָה, וְלֹא בְּרָכָה.
אָמְרָה רִבְקָה:
אִם יִצְחָק יִתֵּן לְךָ קְלָלָה,
הַקְּלָלָה תִּהְיֶה עָלַי.
וְאַתָּה לֵךְ וְהָבֵא לִי אֶת הַגְּדָיִים.

בַּסִּדְרָה "תּוֹלְדוֹת" כָּתוּב:

וַיֹּאמֶר יַעֲקֹב אֶל רִבְקָה אִמּוֹ:
הֵן עֵשָׂו אָחִי אִישׁ שָׂעִיר וְאָנֹכִי אִישׁ חָלָק.
אוּלַי יְמֻשֵּׁנִי אָבִי – וְהֵבֵאתִי עָלַי קְלָלָה וְלֹא בְרָכָה.
וַתֹּאמֶר לוֹ אִמּוֹ:
עָלַי קִלְלָתְךָ בְּנִי, אַךְ שְׁמַע בְּקֹלִי וְלֵךְ קַח לִי.

בְּרֵאשִׁית כז: יא, יב, יג

הֵן – הִנֵּה. שָׂעִיר – מְכֻסֶּה שֵׂעָר. יְמֻשֵּׁנִי – יְמַשֵּׁשׁ אוֹתִי.
חָלָק – smooth

יַעֲקֹב הָלַךְ אֶל אֹהֶל יִצְחָק

יַעֲקֹב רָץ אֶל הַצֹּאן.

וְהֵבִיא לְאִמּוֹ שְׁנֵי גְּדָיִים.

רִבְקָה לָקְחָה אֶת הַבְּגָדִים הַיָּפִים שֶׁל עֵשָׂו,

אַחֲרֵי כֵן לָקְחָה אֶת הַגְּדָיִים

וְעָשְׂתָה מַטְעַמִּים לְיִצְחָק.

וְאֶת עוֹרוֹת הַגְּדָיִים שָׂמָה עַל הַיָּדַיִם שֶׁל יַעֲקֹב

וְעַל צַוָּארוֹ.

וְהִלְבִּישָׁה אוֹתָם אֶת יַעֲקֹב.

יַעֲקֹב לָקַח אֶת הַמַּטְעַמִּים

וְהָלַךְ אֶל אֹהֶל יִצְחָק לְקַבֵּל אֶת הַבְּרָכָה.

יַעֲקֹב בָּא אֶל אָבִיו וְאָמַר: אָבִי!

יִצְחָק אָמַר: הִנֵּנִי, מִי אַתָּה, בְּנִי?

אָמַר יַעֲקֹב:

אֲנִי עֵשָׂו, בִּנְךָ הַבְּכוֹר.
עָשִׂיתִי כְּמוֹ שֶׁדִּבַּרְתָּ אֵלַי,
שֵׁב וֶאֱכֹל אֶת הַמַּטְעַמִּים,
וְאַחֲרֵי כֵן תְּבָרֵךְ אוֹתִי.

בַּסִּדְרָה "תּוֹלְדוֹת" כָּתוּב:

וַתִּקַּח רִבְקָה אֶת בִּגְדֵי עֵשָׂו הַחֲמֻדוֹת אֲשֶׁר אִתָּהּ בַּבָּיִת, וַתַּלְבֵּשׁ אֶת יַעֲקֹב בְּנָהּ הַקָּטָן.

וְאֵת עוֹרֹת גְּדָיֵי הָעִזִּים הִלְבִּישָׁה עַל יָדָיו וְעַל חֶלְקַת צַוָּארָיו.

וַתִּתֵּן אֶת הַמַּטְעַמִּים וְאֶת הַלֶּחֶם אֲשֶׁר עָשָׂתָה בְּיַד יַעֲקֹב בְּנָהּ.

בְּרֵאשִׁית כז: טו, טז, יז

וַתִּקַּח – לָקְחָה. הַחֲמֻדוֹת – הַיָּפוֹת. חֶלְקַת צַוָּארָיו – צַוָּארוֹ הֶחָלָק.

יִצְחָק בֵּרַךְ אֶת יַעֲקֹב

יִצְחָק שָׁמַע אֶת הַקּוֹל שֶׁל יַעֲקֹב וְאָמַר:

גַּשׁ אֵלַי, בְּנִי, וַאֲמַשֵּׁשׁ אוֹתְךָ.

הַאַתָּה זֶה בְּנִי עֵשָׂו, אִם לֹא?

יַעֲקֹב נִגַּשׁ אֶל יִצְחָק.

יִצְחָק מִשֵּׁשׁ אֶת הַיָּדַיִם שֶׁל יַעֲקֹב,

וְהַיָּדַיִם הָיוּ שְׂעִירוֹת כְּמוֹ יְדֵי עֵשָׂו.

יִצְחָק אָמַר:

הַקּוֹל – קוֹל יַעֲקֹב,

וְהַיָּדַיִם – יְדֵי עֵשָׂו!

יִצְחָק שָׁאַל עוֹד פַּעַם:

הַאַתָּה זֶה בְּנִי עֵשָׂו?

יַעֲקֹב אָמַר: אֲנִי.

וְהוּא נָתַן אֶת הַמַּטְעַמִּים לְיִצְחָק.

יִצְחָק אָכַל וְשָׁתָה וְאָמַר:

גַּשׁ אֵלַי, בְּנִי, וַאֲבָרֵךְ אוֹתְךָ.

יַעֲקֹב נִגַּשׁ אֶל אָבִיו וְנָשַׁק לוֹ.

יִצְחָק שָׂם אֶת יָדָיו עַל רֹאשׁ יַעֲקֹב וּבֵרַךְ אוֹתוֹ.

בַּסִּדְרָה "תּוֹלְדוֹת" כָּתוּב:

וַיֹּאמֶר יִצְחָק אֶל יַעֲקֹב:

גְּשָׁה נָּא וַאֲמֻשְׁךָ, בְּנִי, הַאַתָּה זֶה בְּנִי עֵשָׂו אִם לֹא?

וַיִּגַּשׁ יַעֲקֹב אֶל יִצְחָק אָבִיו וַיְמֻשֵּׁהוּ וַיֹּאמֶר:

הַקֹּול קוֹל יַעֲקֹב, וְהַיָּדַיִם יְדֵי עֵשָׂו!

וְלֹא הִכִּירוֹ, כִּי הָיוּ יָדָיו כִּידֵי עֵשָׂו אָחִיו שְׂעִרוֹת, וַיְבָרְכֵהוּ.

בְּרֵאשִׁית כז: כא, כב, כג

גְּשָׁה – גַּשׁ. וַאֲמֻשְׁךָ – וַאֲמַשֵּׁשׁ אוֹתְךָ. וְלֹא הִכִּירוֹ – וְלֹא הִכִּיר אוֹתוֹ. וַיְבָרְכֵהוּ – הוּא בֵּרַךְ אוֹתוֹ.

עֵשָׂו בָּא אֶל אֹהֶל יִצְחָק

יַעֲקֹב יָצָא מִן הָאֹהֶל שֶׁל יִצְחָק,

וְהִנֵּה עֵשָׂו בָּא וּמַטְעַמִּים בְּיָדוֹ.

אָמַר עֵשָׂו: אָבִי, הֵבֵאתִי לְךָ מַטְעַמִּים.

קוּם נָא וֶאֱכֹל מִצֵּידִי.

שָׁאַל יִצְחָק: מִי אַתָּה?

עָנָה עֵשָׂו: אֲנִי בִּנְךָ הַבְּכוֹר – עֵשָׂו.

יִצְחָק חָרַד חֲרָדָה גְדוֹלָה מְאֹד.

הוּא הֵבִין, כִּי יַעֲקֹב קִבֵּל אֶת בִּרְכָתוֹ.

וְיִצְחָק אָמַר: גַּם בָּרוּךְ יִהְיֶה.

עֵשָׂו צָעַק צְעָקָה גְדוֹלָה וְאָמַר:

בָּרֵךְ גַּם אוֹתִי, אָבִי!

אָמַר יִצְחָק:

אֶת הַבְּרָכָה שֶׁל הַבְּכוֹר נָתַתִּי לְיַעֲקֹב,

וּמָה אֶתֵּן לְךָ?

אָמַר עֵשָׂו:

הֲיֵשׁ לְךָ רַק בְּרָכָה אַחַת?

תֵּן גַּם לִי בְּרָכָה.

יִצְחָק רִחֵם עָלָיו וְנָתַן לוֹ בְּרָכָה קְצָרָה.

בַּסִּדְרָה "תּוֹלְדוֹת" כָּתוּב:

וַיְהִי כַּאֲשֶׁר כִּלָּה יִצְחָק לְבָרֵךְ אֶת יַעֲקֹב, וַיְהִי אַךְ יָצֹא יָצָא יַעֲקֹב מֵאֵת פְּנֵי יִצְחָק אָבִיו, וְעֵשָׂו אָחִיו בָּא מִצֵּידוֹ.

וַיַּעַשׂ גַּם הוּא מַטְעַמִּים וַיָּבֵא לְאָבִיו.

וַיֹּאמֶר לְאָבִיו: יָקוּם אָבִי וְיֹאכַל מִצֵּיד בְּנוֹ בַּעֲבוּר תְּבָרְכַנִּי נַפְשֶׁךָ.

וַיֹּאמֶר לוֹ יִצְחָק אָבִיו: מִי אָתָּה?

וַיֹּאמֶר: אֲנִי בִּנְךָ בְּכוֹרְךָ עֵשָׂו.

וַיֶּחֱרַד יִצְחָק חֲרָדָה גְּדוֹלָה עַד מְאֹד.

בְּרֵאשִׁית כז: ל, לא, לב, לג

וַיַּעַשׂ – עָשָׂה. וַיָּבֵא – הֵבִיא. וַיֶּחֱרַד – חָרַד, trembled.

כִּלָּה – גָּמַר. בַּעֲבוּר – in order that.

יַעֲקֹב בָּרַח אֶל הָעִיר חָרָן

עֵשָׂו כָּעַס מְאֹד עַל יַעֲקֹב,

וְהוּא חָפֵץ לַהֲרֹג אוֹתוֹ.

הַדָּבָר הַזֶּה נוֹדַע לְרִבְקָה אִמּוֹ.

וְהִיא קָרְאָה לְיַעֲקֹב וְאָמְרָה לוֹ:

עֵשָׂו אָחִיךָ רוֹצֶה לַהֲרֹג אוֹתְךָ.

קוּם, בְּנִי, בְּרַח אֶל לָבָן אָחִי אֶל הָעִיר חָרָן.

רִבְקָה לֹא חָפְצָה לְסַפֵּר זֹאת לְיִצְחָק.

וְהִיא אָמְרָה לוֹ, כִּי הִיא שׁוֹלַחַת אֶת יַעֲקֹב חָרָנָה

לָקַחַת אִשָּׁה מִבְּנוֹת לָבָן אָחִיהָ.

הַדָּבָר הַזֶּה מָצָא חֵן בְּעֵינֵי יִצְחָק,
וְהוּא אָמַר אֶל יַעֲקֹב:
לֹא תִקַּח אִשָּׁה מִבְּנוֹת כְּנַעַן!
לֵךְ אֶל פַּדַּן אֲרָם, אֶל בֵּית בְּתוּאֵל,
הָאָב שֶׁל רִבְקָה,
וְקַח לְךָ אִשָּׁה מִבְּנוֹת לָבָן, הָאָח שֶׁל אִמְּךָ.
וְאֵל שַׁדַּי יְבָרֵךְ אוֹתְךָ.
וְיַעֲקֹב הָלַךְ אֶל פַּדַּן אֲרָם, אֶל הָעִיר חָרָן.

בַּסִּדְרָה "תּוֹלְדוֹת" כָּתוּב:

וַיִּקְרָא יִצְחָק אֶל יַעֲקֹב, וַיְבָרֶךְ אוֹתוֹ,
וַיְצַוֵּהוּ וַיֹּאמֶר לוֹ:
לֹא תִקַּח אִשָּׁה מִבְּנוֹת כְּנָעַן!
קוּם, לֵךְ פַּדֶּנָה אֲרָם, בֵּיתָה בְתוּאֵל,
אֲבִי אִמֶּךָ, וְקַח לְךָ מִשָּׁם אִשָּׁה מִבְּנוֹת
לָבָן, אֲחִי אִמֶּךָ.
וְאֵל שַׁדַּי יְבָרֵךְ אוֹתְךָ.

בְּרֵאשִׁית כח: א, ב, ג

וַיְבָרֶךְ – בֵּרַךְ. וַיְצַוֵּהוּ – צִוָּה אוֹתוֹ. בֵּיתָה – אֶל הַבַּיִת.
אֲבִי – הָאָב שֶׁל. אֲחִי – הָאָח שֶׁל. אֵל שַׁדַּי – God Almighty

וַיֵּצֵא

חֲלוֹם יַעֲקֹב

יַעֲקֹב יָצָא מִן הָעִיר בְּאֵר שֶׁבַע,

וְהָלַךְ אֶל הָעִיר חָרָן, אֲשֶׁר בְּפַדַּן אֲרָם.

יַעֲקֹב הָלַךְ וְהָלַךְ כָּל הַיּוֹם.

כַּאֲשֶׁר בָּא הָעֶרֶב שָׁכַב עַל הָאָרֶץ לִישֹׁן.

הוּא שָׂם תַּחַת רֹאשׁוֹ אֶבֶן וְנִרְדַּם.

בַּלַּיְלָה הַהוּא חָלַם יַעֲקֹב חֲלוֹם:

הוּא רָאָה בַּחֲלוֹם סֻלָּם גָּדוֹל עוֹמֵד עַל הָאָרֶץ,

וְרֹאשׁ הַסֻּלָּם מַגִּיעַ אֶל הַשָּׁמַיִם.

וּמַלְאָכִים שֶׁל ה' עוֹלִים וְיוֹרְדִים בַּסֻּלָּם.

וַה' אָמַר לְיַעֲקֹב בַּחֲלוֹם:

הָאָרֶץ אֲשֶׁר אַתָּה שׁוֹכֵב עָלֶיהָ

אֶתֵּן לְךָ וְלַבָּנִים אַחֲרֶיךָ.

יַעֲקֹב קָם מִשְּׁנָתוֹ וְאָמַר:
הַמָּקוֹם הַזֶּה הוּא מָקוֹם קָדוֹשׁ.
הַמָּקוֹם הַזֶּה הוּא בֵּית אֱלֹקִים.
וְהוּא קָרָא לַמָּקוֹם הַהוּא בֵּית אֵל.

בַּסִּדְרָה "וַיֵּצֵא" כָּתוּב:

וַיִּקַּח מֵאַבְנֵי הַמָּקוֹם וַיָּשֶׂם מְרַאֲשֹׁתָיו, וַיִּשְׁכַּב בַּמָּקוֹם הַהוּא.

וַיַּחֲלֹם: וְהִנֵּה סֻלָּם מֻצָּב אַרְצָה, וְרֹאשׁוֹ מַגִּיעַ הַשָּׁמָיְמָה, וְהִנֵּה מַלְאֲכֵי אֱלֹהִים עֹלִים וְיֹרְדִים בּוֹ.

וְהִנֵּה ה׳ נִצָּב עָלָיו וַיֹּאמַר: אֲנִי ה׳ אֱלֹהֵי אַבְרָהָם אָבִיךָ וֵאלֹהֵי יִצְחָק. הָאָרֶץ אֲשֶׁר אַתָּה שֹׁכֵב עָלֶיהָ – לְךָ אֶתְּנֶנָּה וּלְזַרְעֶךָ.

בְּרֵאשִׁית כח: יא, יב, יג

וַיִּקַּח – לָקַח. וַיָּשֶׂם – שָׂם. וַיִּשְׁכַּב – שָׁכַב. וַיַּחֲלֹם – חָלַם. מְרַאֲשֹׁתָיו – תַּחַת רֹאשׁוֹ. מֻצָּב – עוֹמֵד. אֶתְּנֶנָּה – אֶתֵּן אוֹתָהּ.

יַעֲקֹב בָּא אֶל חָרָן

יַעֲקֹב לָקַח אֶת הָאֶבֶן, אֲשֶׁר שָׂם תַּחַת רֹאשׁוֹ,
וְשָׂם אוֹתָהּ מַצֵּבָה בַּמָּקוֹם הַהוּא.
יַעֲקֹב הִתְפַּלֵּל שָׁם אֶל ה׳
לִשְׁמֹר אוֹתוֹ בַּדֶּרֶךְ, אֲשֶׁר הוּא הוֹלֵךְ,
לְהָשִׁיב אוֹתוֹ בְּשָׁלוֹם אֶל בֵּית אָבִיו.
אַחֲרֵי כֵן הָלַךְ יַעֲקֹב אֶל הָעִיר חָרָן.
מִחוּץ לָעִיר רָאָה יַעֲקֹב בְּאֵר בַּשָּׂדֶה,
וְאֵצֶל הַבְּאֵר רָבְצוּ שְׁלֹשָׁה עֶדְרֵי צֹאן.

הָרוֹעִים לֹא יָכְלוּ לְהַשְׁקוֹת אֶת הַצֹּאן,

כִּי אֶבֶן גְּדוֹלָה הָיְתָה עַל הַבְּאֵר.

וְהֵם חִכּוּ עַד אֲשֶׁר יָבֹאוּ כָּל הָרוֹעִים.

יַעֲקֹב שָׁאַל אוֹתָם: מֵאַיִן אַתֶּם?

הֵם עָנוּ: מֵחָרָן אֲנַחְנוּ.

יַעֲקֹב שָׁאַל: הֲיוֹדְעִים אַתֶּם אֶת לָבָן בֶּן בְּתוּאֵל?

הָרוֹעִים עָנוּ: כֵּן, אֲנַחְנוּ יוֹדְעִים.

הִנֵּה רָחֵל בִּתּוֹ בָּאָה עִם הַצֹּאן.

בַּסִּדְרָה "וַיֵּצֵא" כָּתוּב:

וַיִּשָּׂא יַעֲקֹב רַגְלָיו וַיֵּלֶךְ אַרְצָה בְנֵי קֶדֶם.

וַיַּרְא וְהִנֵּה בְאֵר בַּשָּׂדֶה, וְהִנֵּה שָׁם שְׁלֹשָׁה עֶדְרֵי צֹאן רֹבְצִים עָלֶיהָ, כִּי מִן הַבְּאֵר הַהִוא יַשְׁקוּ הָעֲדָרִים, וְהָאֶבֶן גְּדֹלָה עַל פִּי הַבְּאֵר.

בְּרֵאשִׁית כט: א, ב

וַיִּשָּׂא – נָשָׂא, הֵרִים. קֶדֶם – מִזְרָח, east. וַיַּרְא – רָאָה. רוֹבְצִים – שׁוֹכְבִים.

רָחֵל בָּאָה עִם הַצֹּאן

יַעֲקֹב נָשָׂא אֶת עֵינָיו וְרָאָה

וְהִנֵּה רָחֵל בָּאָה עִם הַצֹּאן שֶׁל אָבִיהָ.

וְהוּא שָׂמַח מְאֹד.

יַעֲקֹב נִגַּשׁ אֶל הַבְּאֵר,

גָּלַל אֶת הָאֶבֶן הַגְּדוֹלָה מֵעַל פִּי הַבְּאֵר,

וְהִשְׁקָה אֶת הַצֹּאן שֶׁל לָבָן.

אַחֲרֵי כֵן הִגִּיד יַעֲקֹב לְרָחֵל,

כִּי הוּא בֶּן רִבְקָה, הָאָחוֹת שֶׁל לָבָן.

רָחֵל רָצָה הַבַּיְתָה וְסִפְּרָה לְאָבִיהָ
אֶת כָּל הַדְּבָרִים הָאֵלֶּה.
לָבָן רָץ לִקְרַאת יַעֲקֹב,
וְהוּא חִבֵּק אוֹתוֹ וְנָשַׁק אוֹתוֹ,
וְהֵבִיא אוֹתוֹ אֶל בֵּיתוֹ.
מִן הַיּוֹם הַהוּא יָשַׁב יַעֲקֹב
בְּבֵית לָבָן, הָאָח שֶׁל אִמּוֹ.

בַּסִּדְרָה "וַיֵּצֵא" כָּתוּב:

וַיַּגֵּד יַעֲקֹב לְרָחֵל, כִּי בֶן רִבְקָה הוּא, וַתָּרָץ וַתַּגֵּד לְאָבִיהָ.

וַיְהִי כִשְׁמֹעַ לָבָן אֶת שֵׁמַע יַעֲקֹב בֶּן אֲחוֹתוֹ, וַיָּרָץ לִקְרָאתוֹ וַיְחַבֶּק לוֹ וַיְנַשֶּׁק לוֹ וַיְבִיאֵהוּ אֶל בֵּיתוֹ. וַיְסַפֵּר לְלָבָן אֵת כָּל הַדְּבָרִים הָאֵלֶּה.

בְּרֵאשִׁית כט: יב, יג

וַיַּגֵּד – הִגִּיד. וַתַּגֵּד – הִגִּידָה. וַיָּרָץ – רָץ. וַתָּרָץ – רָצָה. כִּשְׁמֹעַ – כַּאֲשֶׁר שָׁמַע. שֵׁמַע – report. וַיְבִיאֵהוּ – הֵבִיא אוֹתוֹ. לִקְרָאתוֹ – toward him.

רָחֵל וְלֵאָה

לְלָבָן הָיוּ שְׁתֵּי בָּנוֹת:

שֵׁם הַבְּכִירָה לֵאָה, וְשֵׁם הַצְּעִירָה רָחֵל.

יַעֲקֹב אָהַב אֶת רָחֵל, וְהוּא אָמַר לְלָבָן:

אֲנִי אֶעֱבֹד אוֹתְךָ שֶׁבַע שָׁנִים,

אִם תִּתֵּן לִי אֶת רָחֵל בִּתְּךָ לְאִשָּׁה.

לָבָן הִסְכִּים לַדָּבָר הַזֶּה.

שֶׁבַע שָׁנִים רָעָה יַעֲקֹב אֶת צֹאן לָבָן,

אֲבָל הַשָּׁנִים עָבְרוּ מַהֵר מְאֹד,

כִּי הוּא אָהַב מְאֹד אֶת רָחֵל.

אַחֲרֵי שֶׁבַע שָׁנִים לָבָן רִמָּה אֶת יַעֲקֹב,
וְנָתַן לוֹ אֶת לֵאָה לְאִשָּׁה בִּמְקוֹם רָחֵל.
לָבָן אָמַר לְיַעֲקֹב:
בַּמָּקוֹם הַזֶּה אֵין נוֹתְנִים אֶת הַצְּעִירָה
לִפְנֵי הַבְּכִירָה.
תַּעֲבֹד עוֹד שֶׁבַע שָׁנִים
וְאֶתֵּן לְךָ גַּם אֶת רָחֵל לְאִשָּׁה.
יַעֲקֹב עָבַד עוֹד שֶׁבַע שָׁנִים,
וְלָבָן נָתַן לוֹ גַּם אֶת רָחֵל לְאִשָּׁה.

בַּסִּדְרָה "וַיֵּצֵא" כָּתוּב:

וַיֹּאמֶר יַעֲקֹב אֶל לָבָן: מַה זֹּאת עָשִׂיתָ לִי? הֲלֹא בְרָחֵל עָבַדְתִּי עִמָּךְ, וְלָמָּה רִמִּיתָנִי?

וַיֹּאמֶר לָבָן: לֹא יֵעָשֶׂה כֵן בִּמְקוֹמֵנוּ, לָתֵת הַצְּעִירָה לִפְנֵי הַבְּכִירָה. אֶתֵּן לְךָ גַּם אֶת זֹאת בַּעֲבוֹדָה אֲשֶׁר תַּעֲבֹד עִמָּדִי עוֹד שֶׁבַע שָׁנִים אֲחֵרוֹת.

וַיַּעַשׂ יַעֲקֹב כֵּן. וַיִּתֶּן לוֹ אֶת רָחֵל בִּתּוֹ לוֹ לְאִשָּׁה.

בְּרֵאשִׁית כט: כה, כו, כז, כח

יַעֲקֹב הָיָה לְאִישׁ עָשִׁיר

עֶשְׂרִים שָׁנָה עָבַד יַעֲקֹב בְּבֵית לָבָן:
אַרְבַּע עֶשְׂרֵה שָׁנָה עָבַד בְּרָחֵל וְלֵאָה,
וְשֵׁשׁ שָׁנִים עָבַד בְּשָׂכָר,
אֲשֶׁר נָתַן לוֹ לָבָן בְּעַד עֲבוֹדָתוֹ.
מֶה הָיָה הַשָּׂכָר?
הַשָּׂכָר הָיָה כָּל שֶׂה נָקֹד וְטָלוּא,
אֲשֶׁר נוֹלַד לַצֹּאן בַּשָּׁנִים הָאֵלּוּ.
וַה׳ בֵּרַךְ אֶת יַעֲקֹב,
וְאַחֲרֵי שֵׁשׁ שָׁנִים הָיָה לוֹ הַרְבֵּה צֹאן.
יַעֲקֹב מָכַר חֵלֶק מִצֹּאנוֹ
וְקָנָה בָּקָר, גְּמַלִּים וַחֲמוֹרִים.

וְגַם עֲבָדִים וּשְׁפָחוֹת קָנָה יַעֲקֹב,
וְהוּא הָיָה לְאִישׁ עָשִׁיר.
אַחֲרֵי עֶשְׂרִים שָׁנָה חָפֵץ יַעֲקֹב
לָשׁוּב אֶל אַרְצוֹ וְאֶל בֵּית אָבִיו,
אֲבָל לָבָן לֹא נָתַן אוֹתוֹ לָלֶכֶת.
הוּא חָפֵץ שֶׁיַּעֲקֹב יַעֲבֹד בְּבֵיתוֹ עוֹד שָׁנִים רַבּוֹת.

בַּסִּדְרָה "וַיֵּצֵא" כָּתוּב:

וַיֹּאמֶר לָבָן: נָקְבָה שְׂכָרְךָ עָלַי וְאֶתֵּנָה.
וַיֹּאמֶר יַעֲקֹב: אִם תַּעֲשֶׂה לִי הַדָּבָר הַזֶּה אָשׁוּבָה אֶרְעֶה צֹאנְךָ. כָּל שֶׂה נָקֹד וְטָלוּא וְהָיָה שְׂכָרִי.
וַיֹּאמֶר לָבָן: הֵן, לוּ יְהִי כִדְבָרֶךָ.
וַתֵּלַדְנָה הַצֹּאן נְקֻדִּים וּטְלֻאִים.
וַיִּפְרֹץ הָאִישׁ מְאֹד, וַיְהִי לוֹ צֹאן רַבּוֹת וּשְׁפָחוֹת וַעֲבָדִים וּגְמַלִּים וַחֲמֹרִים.

בְּרֵאשִׁית ל: כח, לא, לב, לד, לט, מג

נָקְבָה – specify, fix. וַיִּפְרֹץ – and he grew prosperous.

יַעֲקֹב בָּרַח מִבֵּית לָבָן

פַּעַם נִרְאָה אֵלָיו מַלְאַךְ ה' בַּחֲלוֹם וְאָמַר:

קוּם, צֵא מִן הָאָרֶץ הַזֹּאת,

וְשׁוּב אֶל אֶרֶץ מוֹלַדְתֶּךָ.

בֹּקֶר אֶחָד הָלַךְ לָבָן אֶל הַשָּׂדֶה לִגְזֹז אֶת צֹאנוֹ.

יַעֲקֹב הוֹשִׁיב אֶת נָשָׁיו וִילָדָיו עַל הַגְּמַלִּים,

וְהוּא לָקַח אֶת צֹאנוֹ וְאֶת כָּל רְכוּשׁוֹ,

וְהָלַךְ אֶל אַרְצוֹ, אֶל בֵּית אָבִיו.

כַּאֲשֶׁר שָׁמַע לָבָן, כִּי בָּרַח יַעֲקֹב,

לָקַח אֶת אֶחָיו, וְרָדַף אַחֲרָיו.

לָבָן בִּקֵּשׁ מִיַּעֲקֹב לָשׁוּב אֶל בֵּיתוֹ,
אֲבָל יַעֲקֹב לֹא חָפֵץ לִשְׁמֹעַ בְּקוֹלוֹ.
בָּרִאשׁוֹנָה כָּעַס לָבָן עַל יַעֲקֹב,
אֲבָל אַחֲרֵי כֵן הִשְׁלִים אִתּוֹ,
וְהֵם נִפְרְדוּ זֶה מִזֶּה בְּשָׁלוֹם.

בַּסִּדְרָה ״וַיֵּצֵא״ כָּתוּב:

וַיָּקָם יַעֲקֹב וַיִּשָּׂא אֶת בָּנָיו וְאֶת נָשָׁיו עַל הַגְּמַלִּים. וַיִּנְהַג אֶת כָּל מִקְנֵהוּ וְאֶת כָּל רְכוּשׁוֹ, אֲשֶׁר רָכַשׁ בְּפַדַּן אֲרָם, לָבוֹא אֶל יִצְחָק אָבִיו אַרְצָה כְּנָעַן.

וְלָבָן הָלַךְ לִגְזֹז אֶת צֹאנוֹ. וַיֻּגַּד לְלָבָן בַּיּוֹם הַשְּׁלִישִׁי, כִּי בָרַח יַעֲקֹב.

וַיִּקַּח אֶת אֶחָיו עִמּוֹ וַיִּרְדֹּף אַחֲרָיו. וַיַּדְבֵּק אוֹתוֹ בְּהַר הַגִּלְעָד.

בְּרֵאשִׁית לא: יז, יח, יט, כב, כג

וַיִּנְהַג – נָהַג and he led away, רָכַשׁ – acquired, לִגְזֹז – to shear, וַיַּדְבֵּק – הִדְבִּיק and he overtook.

וַיִּשְׁלַח

יַעֲקֹב שָׁלַח מִנְחָה לְעֵשָׂו

יַעֲקֹב שָׁלַח מַלְאָכִים אֶל עֵשָׂו לְהַגִּיד לוֹ,

כִּי הוּא שָׁב אֶל אֶרֶץ כְּנַעַן,

וְכִי הֵבִיא אִתּוֹ הַרְבֵּה צֹאן וּבָקָר,

וְהוּא חָפֵץ לִמְצֹא חֵן בְּעֵינָיו.

הַמַּלְאָכִים שָׁבוּ אֶל יַעֲקֹב וְאָמְרוּ לוֹ,

כִּי עֵשָׂו הוֹלֵךְ לִקְרָאתוֹ וְאַרְבַּע מֵאוֹת אִישׁ עִמּוֹ.

פַּחַד גָּדוֹל נָפַל עַל יַעֲקֹב.

הוּא חָשַׁב, כִּי עֵשָׂו בָּא לַעֲשׂוֹת מִלְחָמָה.

יַעֲקֹב הִתְפַּלֵּל אֶל ה׳ וְאָמַר:
הַצִּילֵנִי נָא מִיַּד אָחִי, מִיַּד עֵשָׂו,
פֶּן יָבוֹא וְהִכָּה אוֹתִי וְאֶת מִשְׁפַּחְתִּי.
אַחֲרֵי הַתְּפִלָּה שָׁלַח יַעֲקֹב מִנְחָה לְעֵשָׂו:
שׁוּרָה אֲרֻכָּה שֶׁל צֹאן וּבָקָר.
יַעֲקֹב אָמַר בְּלִבּוֹ:
כַּאֲשֶׁר יִרְאֶה עֵשָׂו אֶת הַמִּנְחָה הַזֹּאת,
יִשְׁכַּח אֶת כַּעֲסוֹ וַיְשַׁלֵּם אִתִּי.

בַּסִּדְרָה ״וַיִּשְׁלַח״ כָּתוּב:

וַיֹּאמֶר יַעֲקֹב: אֱלֹהֵי אָבִי אַבְרָהָם וֵאלֹהֵי אָבִי יִצְחָק! הַצִּילֵנִי נָא מִיַּד אָחִי, מִיַּד עֵשָׂו, פֶּן יָבוֹא וְהִכַּנִי אֵם עַל בָּנִים.
וַיִּקַּח מִן הַבָּא בְיָדוֹ מִנְחָה לְעֵשָׂו אָחִיו. וַיִּתֵּן בְּיַד עֲבָדָיו עֵדֶר עֵדֶר לְבַדּוֹ.
כִּי אָמַר: אֲכַפְּרָה פָנָיו בַּמִּנְחָה הַהֹלֶכֶת לְפָנָי, וְאַחֲרֵי כֵן אֶרְאֶה פָנָיו.

בְּרֵאשִׁית לב: י, יב, יד, יז, כא

הַצִּילֵנִי – הַצֵּל אוֹתִי. וְהִכַּנִי – וְהִכָּה אוֹתִי. אֲכַפְּרָה פָנָיו – I will appease him.

יִשְׂרָאֵל

בַּלַּיְלָה הַהוּא בָּא יַעֲקֹב אֶל נַחַל יַבֹּק.

יַעֲקֹב הֶעֱבִיר אֶת נָשָׁיו וְאֶת יְלָדָיו,

וְהוּא הֶעֱבִיר אֶת כָּל אֲשֶׁר לוֹ.

אַחֲרֵי כֵן שָׁב יַעֲקֹב אֶל הַמַּחֲנֶה,

כִּי שָׁכַח לְהַעֲבִיר פַּכִּים קְטַנִּים.

פִּתְאֹם רָאָה יַעֲקֹב לְפָנָיו מַלְאָךְ.

הַמַּלְאָךְ הָיָה בִּדְמוּת אִישׁ.

הָאִישׁ הַזֶּה שָׂרָה עִם יַעֲקֹב כָּל הַלַּיְלָה.

יַעֲקֹב הָיָה אִישׁ חָזָק,

וְהַמַּלְאָךְ לֹא יָכֹל לְנַצֵּחַ אוֹתוֹ.

כַּאֲשֶׁר בָּא הַבֹּקֶר, חָפֵץ הַמַּלְאָךְ לַעֲזֹב אוֹתוֹ,
אֲבָל יַעֲקֹב לֹא נָתַן אוֹתוֹ לָלֶכֶת.
יַעֲקֹב אָמַר: תֵּן לִי בְּרָכָה וַאֲשַׁלֵּחַ אוֹתְךָ.
הַמַּלְאָךְ נָתַן לוֹ בְּרָכָה,
וְקָרָא לוֹ שֵׁם חָדָשׁ "יִשְׂרָאֵל",
כִּי שָׂרָה עִם מַלְאַךְ אֵל וְנִצַּח אוֹתוֹ.

בַּסִּדְרָה "וַיִּשְׁלַח" כָּתוּב:

וַיֹּאמֶר הַמַּלְאָךְ: שַׁלְּחֵנִי כִּי עָלָה הַשָּׁחַר.
וַיֹּאמֶר יַעֲקֹב: לֹא אֲשַׁלֵּחֲךָ, כִּי אִם בֵּרַכְתָּנִי.
וַיֹּאמֶר אֵלָיו: מַה שְּׁמֶךָ?
וַיֹּאמֶר: יַעֲקֹב.
וַיֹּאמֶר: לֹא יַעֲקֹב יֵאָמֵר עוֹד שִׁמְךָ, כִּי אִם יִשְׂרָאֵל, כִּי שָׂרִיתָ עִם אֱלֹהִים וְאֲנָשִׁים וַתּוּכָל.
וַיְבָרֶךְ אוֹתוֹ שָׁם.

בְּרֵאשִׁית לב: כז, כח, כט, ל

עָלָה הַשַּׁחַר – בָּא הַבֹּקֶר. שַׁלְּחֵנִי – שַׁלַּח אוֹתִי
בֵּרַכְתָּנִי – תְּבָרֵךְ אוֹתִי. וַתּוּכָל – וְאַתָּה נִצַּחְתָּ.

עֵשָׂו הִשְׁלִים עִם יַעֲקֹב

יַעֲקֹב נָשָׂא אֶת עֵינָיו,
וְרָאָה אֶת עֵשָׂו בָּא,
וְאַרְבַּע מֵאוֹת אִישׁ עִמּוֹ.

יַעֲקֹב הָלַךְ לִקְרַאת עֵשָׂו,
וְהִשְׁתַּחֲוָה לְפָנָיו שֶׁבַע פְּעָמִים,
עַד אֲשֶׁר נִגַּשׁ אֶל אָחִיו.

עֵשָׂו שָׂמַח לִרְאוֹת אֶת אָחִיו אַחֲרֵי עֶשְׂרִים שָׁנָה.
וְהוּא חִבֵּק אוֹתוֹ וְנָשַׁק אוֹתוֹ, וְהֵם בָּכוּ.

עֵשָׂו רָאָה אֶת הַנָּשִׁים וְהַיְלָדִים שֶׁל יַעֲקֹב,
וְהוּא שָׁאַל: מִי אֵלֶּה?

יַעֲקֹב עָנָה: אֵלֶּה יְלָדַי, אֲשֶׁר נָתַן לִי ה׳.

עֵשָׂו שָׁאַל: וּלְמִי כָּל הַצֹּאן וְהַבָּקָר אֲשֶׁר פָּגַשְׁתִּי?

יַעֲקֹב עָנָה: זֹאת הִיא מִנְחָה, אֲשֶׁר שָׁלַחְתִּי לְךָ.

עֵשָׂו לֹא רָצָה לָקַחַת אֶת הַמִּנְחָה.

אֲבָל יַעֲקֹב הִפְצִיר בּוֹ וְהוּא לָקַח.

אַחֲרֵי כֵן נִפְרְדוּ זֶה מִזֶּה בְּשָׁלוֹם.

בַּסִּדְרָה ״וַיִּשְׁלַח״ כָּתוּב:

וַיִּשָּׂא יַעֲקֹב עֵינָיו וַיַּרְא וְהִנֵּה עֵשָׂו
בָּא וְעִמּוֹ אַרְבַּע מֵאוֹת אִישׁ.
וְהוּא עָבַר לִפְנֵי נָשָׁיו וִילָדָיו וַיִּשְׁתַּחוּ
אַרְצָה שֶׁבַע פְּעָמִים עַד גִּשְׁתּוֹ עַד אָחִיו.
וַיָּרָץ עֵשָׂו לִקְרָאתוֹ וַיְחַבְּקֵהוּ, וַיִּפֹּל
עַל צַוָּארָיו וַיִּשָּׁקֵהוּ, וַיִּבְכּוּ.

בְּרֵאשִׁית לג: א, ג, ד.

עַד גִּשְׁתּוֹ – עַד אֲשֶׁר נִגַּשׁ. וַיִּשְׁתַּחוּ – הוּא הִשְׁתַּחֲוָה.
וַיְחַבְּקֵהוּ – חִבֵּק אוֹתוֹ. צַוָּארָיו – הַצַּוָּאר שֶׁלּוֹ. וַיִּשָּׁקֵהוּ
– נָשַׁק אוֹתוֹ. וַיִּבְכּוּ – הֵם בָּכוּ.

מוֹת רָחֵל וּמוֹת יִצְחָק

יַעֲקֹב בָּא אֶל אֶרֶץ כְּנַעַן.
בַּדֶּרֶךְ אֵצֶל הָעִיר בֵּית לֶחֶם
יָלְדָה רָחֵל בֵּן וּשְׁמוֹ בִּנְיָמִין.
רָחֵל הָיְתָה חוֹלָה מְאֹד וְהִיא מֵתָה.
יַעֲקֹב קָבַר אוֹתָהּ בַּדֶּרֶךְ
וְשָׂם מַצֵּבָה עַל קְבוּרָתָהּ.
הַמַּצֵּבָה עוֹמֶדֶת שָׁם עַד הַיּוֹם הַזֶּה.
לְיַעֲקֹב הָיוּ שְׁנֵים עָשָׂר בָּנִים וְאֵלֶּה הֵם:
רְאוּבֵן, שִׁמְעוֹן, לֵוִי, יְהוּדָה,
יִשָּׂשכָר, זְבֻלוּן, דָּן, נַפְתָּלִי,
גָּד, אָשֵׁר, יוֹסֵף וּבִנְיָמִין.
יוֹסֵף וּבִנְיָמִין הָיוּ בְּנֵי רָחֵל.

אַחֲרֵי כֵן בָּא יַעֲקֹב אֶל חֶבְרוֹן, אֶל בֵּית אָבִיו
יִצְחָק הָיָה אָז זָקֵן מְאֹד,
וְהוּא מֵת בֶּן מֵאָה וּשְׁמֹנִים שָׁנָה.
עֵשָׂו וְיַעֲקֹב קָבְרוּ אוֹתוֹ בִּמְעָרַת הַמַּכְפֵּלָה.

בַּסִּדְרָה "וַיִּשְׁלַח" כָּתוּב:

וַתָּמָת רָחֵל וַתִּקָּבֵר בְּדֶרֶךְ אֶפְרָתָה, הִיא בֵּית לָחֶם. וַיַּצֵּב יַעֲקֹב מַצֵּבָה עַל קְבוּרָתָהּ, הִיא מַצֶּבֶת קְבוּרַת רָחֵל עַד הַיּוֹם.

וַיָּבֹא יַעֲקֹב אֶל יִצְחָק אָבִיו. וַיִּהְיוּ יְמֵי יִצְחָק מְאַת שָׁנָה וּשְׁמֹנִים שָׁנָה. וַיָּמָת יִצְחָק זָקֵן וּשְׂבַע יָמִים. וַיִּקְבְּרוּ אוֹתוֹ עֵשָׂו וְיַעֲקֹב בָּנָיו.

בְּרֵאשִׁית לה: יט, כ, כז, כח, כט

וַתָּמָת – מֵתָה. וַתִּקָּבֵר – קָבְרוּ אוֹתָהּ. וַיַּצֵּב – שָׂם.
שְׂבַע יָמִים – full of days.

וַיֵּשֶׁב

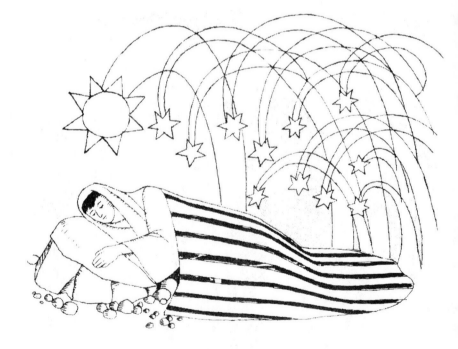

כְּתֹנֶת פַּסִּים

יַעֲקֹב יָשַׁב בְּאֶרֶץ כְּנַעַן בְּעִיר חֶבְרוֹן,

הָעִיר שֶׁל יִצְחָק אָבִיו.

יַעֲקֹב חָשַׁב, כִּי עַתָּה יוּכַל לָשֶׁבֶת בִּמְנוּחָה,

וְלֹא תִהְיֶינָה לוֹ עוֹד צָרוֹת.

וְהִנֵּה בָּאָה עָלָיו צָרָה חֲדָשָׁה, צָרַת יוֹסֵף.

יוֹסֵף הָיָה אָז בֶּן שְׁבַע עֶשְׂרֵה שָׁנָה.

הוּא הָיָה נַעַר יָפֶה וְחָכָם,

וְאָבִיו אָהַב אוֹתוֹ מְאֹד,

כִּי הָיָה בֶּן זְקֻנִים.

יַעֲקֹב אָהַב אֶת כָּל בָּנָיו,
אַךְ אֶת יוֹסֵף אָהַב יוֹתֵר מִכֻּלָּם.
פַּעַם אַחַת נָתַן לוֹ אָבִיו מַתָּנָה:
כְּתֹנֶת יָפָה מְאֹד, כְּתֹנֶת פַּסִּים.
כַּאֲשֶׁר רָאוּ הָאַחִים אֶת כְּתֹנֶת הַפַּסִּים עַל יוֹסֵף,
קִנְּאוּ בּוֹ מְאֹד וְשָׂנְאוּ אוֹתוֹ,
וְלֹא יָכְלוּ לְדַבֵּר אִתּוֹ לְשָׁלוֹם.

בַּסִּדְרָה "וַיֵּשֶׁב" כָּתוּב:

וְיִשְׂרָאֵל אָהַב אֶת יוֹסֵף מִכָּל בָּנָיו, כִּי בֶן זְקֻנִים הוּא לוֹ, וְעָשָׂה לוֹ כְּתֹנֶת פַּסִּים.
וַיִּרְאוּ אֶחָיו, כִּי אוֹתוֹ אָהַב אֲבִיהֶם מִכָּל אֶחָיו, וַיִּשְׂנְאוּ אוֹתוֹ, וְלֹא יָכְלוּ דַּבְּרוֹ לְשָׁלוֹם.

בְּרֵאשִׁית לז: ג, ד

בֶּן זְקֻנִים – בֵּן שֶׁנּוֹלַד כַּאֲשֶׁר הָיָה זָקֵן. וַיִּרְאוּ – רָאוּ. וַיִּשְׂנְאוּ – שָׂנְאוּ. דַּבְּרוֹ – לְדַבֵּר אִתּוֹ.

חֲלוֹמוֹת יוֹסֵף

פַּעַם חָלַם יוֹסֵף חֲלוֹם וְאָמַר לְאֶחָיו:

חָלַמְתִּי, כִּי אֲנַחְנוּ מְאַלְּמִים אֲלֻמִּים בַּשָּׂדֶה.

וְהִנֵּה הָאֲלֻמָּה שֶׁלִּי קָמָה,

וְהָאֲלֻמִּים שֶׁלָּכֶם הִשְׁתַּחֲווּ לַאֲלֻמָּתִי.

אָמְרוּ לוֹ הָאַחִים בְּכַעַס:

הַאִם אַתָּה חָפֵץ לִמְלֹךְ עָלֵינוּ?

וְהֵם שָׂנְאוּ אוֹתוֹ עוֹד יוֹתֵר.

אַחֲרֵי יָמִים אֲחָדִים חָלַם יוֹסֵף עוֹד חֲלוֹם,

וְהוּא אָמַר לְאָבִיו וְגַם לְאֶחָיו:

חָלַמְתִּי, כִּי הַשֶּׁמֶשׁ וְהַיָּרֵחַ
וְאַחַד עָשָׂר כּוֹכָבִים מִשְׁתַּחֲוִים לִי.
גָּעַר בּוֹ אָבִיו וְאָמַר:
מָה הַחֲלוֹם הַזֶּה אֲשֶׁר חָלַמְתָּ?
הַאִם אֲנִי וְאִמְּךָ וְאַחֶיךָ נָבֹא לְהִשְׁתַּחֲווֹת לְךָ?
וְהָאַחִים קִנְּאוּ בּוֹ וְשָׂנְאוּ אוֹתוֹ עוֹד יוֹתֵר.

בַּסִּדְרָה "וַיֵּשֶׁב" כָּתוּב:

וַיֹּאמֶר יוֹסֵף: הִנֵּה חָלַמְתִּי חֲלוֹם עוֹד, וְהִנֵּה הַשֶּׁמֶשׁ וְהַיָּרֵחַ וְאַחַד עָשָׂר כּוֹכָבִים מִשְׁתַּחֲוִים לִי.

וַיִּגְעַר בּוֹ אָבִיו וַיֹּאמֶר לוֹ: מָה הַחֲלוֹם הַזֶּה אֲשֶׁר חָלָמְתָּ? הֲבוֹא נָבוֹא, אֲנִי וְאִמְּךָ וְאַחֶיךָ, לְהִשְׁתַּחֲוֹת לְךָ אָרְצָה?

בְּרֵאשִׁית לז: ט, י

וַיִּגְעַר – גָּעַר, דִּבֵּר בְּכַעַס.

הִנֵּה בַּעַל הַחֲלוֹמוֹת בָּא

פַּעַם אַחַת הָלְכוּ הָאַחִים אֶל הָעִיר שְׁכֶם

לִרְעוֹת אֶת הַצֹּאן שֶׁל אֲבִיהֶם.

הָאַחִים הָיוּ שָׁם זְמַן רַב.

יַעֲקֹב קָרָא לְיוֹסֵף וְאָמַר לוֹ:

לֵךְ וּרְאֵה אֶת שְׁלוֹם אַחֶיךָ וְאֶת שְׁלוֹם הַצֹּאן.

יוֹסֵף הָלַךְ וְהָלַךְ עַד אֲשֶׁר מָצָא אֶת הָאַחִים.

הָאַחִים רָאוּ אֶת יוֹסֵף מֵרָחוֹק

וְהֵם אָמְרוּ זֶה אֶל זֶה:

הִנֵּה בָּא בַּעַל הַחֲלוֹמוֹת, הֶחָפֵץ לִמְלֹךְ עָלֵינוּ.
נַהֲרֹג אוֹתוֹ וְנַשְׁלִיךְ אוֹתוֹ אֶל בּוֹר,
וְנֹאמַר אֶל אָבִינוּ: חַיָּה רָעָה אָכְלָה אוֹתוֹ.
רְאוּבֵן אָמַר: אַל תִּשְׁפְּכוּ דָם!
הַשְׁלִיכוּ אוֹתוֹ אֶל הַבּוֹר, וְאַל תַּהַרְגוּ אוֹתוֹ!
רְאוּבֵן אָמַר זֹאת, כִּי הוּא חָפֵץ לְהַצִּיל אוֹתוֹ,
וּלְהָשִׁיב אוֹתוֹ אֶל אָבִיו.

בַּסִּדְרָה "וַיֵּשֶׁב" כָּתוּב:

וַיֹּאמְרוּ אִישׁ אֶל אָחִיו: הִנֵּה בַּעַל הַחֲלוֹמוֹת הַלָּזֶה בָּא. וְעַתָּה לְכוּ וְנַהַרְגֵהוּ, וְנַשְׁלִכֵהוּ בְּאַחַד הַבֹּרוֹת וְאָמַרְנוּ: "חַיָּה רָעָה אֲכָלָתְהוּ!" וְנִרְאֶה מַה יִּהְיוּ חֲלוֹמוֹתָיו.

וַיֹּאמֶר אֲלֵיהֶם רְאוּבֵן: אַל תִּשְׁפְּכוּ דָם! הַשְׁלִיכוּ אוֹתוֹ אֶל הַבּוֹר הַזֶּה, וְיָד אַל תִּשְׁלְחוּ בוֹ!

בְּרֵאשִׁית לז: יט, כ, כב

נַהַרְגֵהוּ – נַהֲרֹג אוֹתוֹ. נַשְׁלִיכֵהוּ – נַשְׁלִיךְ אוֹתוֹ. וְאָמַרְנוּ – וְנֹאמַר. אֲכָלָתְהוּ – אָכְלָה אוֹתוֹ.

מְכִירַת יוֹסֵף

כַּאֲשֶׁר בָּא יוֹסֵף אֶל הָאַחִים,
הִפְשִׁיטוּ אֶת יוֹסֵף אֶת כְּתֹנֶת הַפַּסִּים,
וְהִשְׁלִיכוּ אוֹתוֹ אֶל בּוֹר אֶחָד.
וְהַבּוֹר הָיָה רֵיק, אֵין בּוֹ מַיִם.
הָאַחִים יָשְׁבוּ לֶאֱכֹל לֶחֶם,
וּרְאוּבֵן הָלַךְ לִשְׁמֹר אֶת הַצֹּאן.
הָאַחִים נָשְׂאוּ אֶת עֵינֵיהֶם
וְרָאוּ יִשְׁמְעֵאלִים וּגְמַלֵּיהֶם בָּאִים מֵאֶרֶץ גִּלְעָד,
וְהֵם הוֹלְכִים אֶל אֶרֶץ מִצְרַיִם.

יְהוּדָה אָמַר אֶל הָאַחִים:

יוֹסֵף יוֹשֵׁב בַּבּוֹר בְּלִי לֶחֶם וּבְלִי מַיִם,

וְהוּא יָמוּת שָׁם.

נִמְכֹּר אוֹתוֹ לַיִּשְׁמְעֵאלִים, וְיָדֵנוּ אַל תְּהִי בוֹ.

הֲלֹא אָחִינוּ הוּא, בֶּן הַמִּשְׁפָּחָה שֶׁלָּנוּ.

הָאַחִים שָׁמְעוּ בְּקוֹל יְהוּדָה,

וְהֵם הֶעֱלוּ אֶת יוֹסֵף מִן הַבּוֹר,

וּמָכְרוּ אוֹתוֹ לַיִּשְׁמְעֵאלִים בְּעֶשְׂרִים כֶּסֶף.

בַּסִּדְרָה וַיֵּשֶׁב" כָּתוּב:

וַיֹּאמֶר יְהוּדָה אֶל אֶחָיו: לְכוּ וְנִמְכְּרֶנּוּ לַיִּשְׁמְעֵאלִים, וְיָדֵנוּ אַל תְּהִי בוֹ, כִּי אָחִינוּ בְשָׂרֵנוּ הוּא.

וַיִּשְׁמְעוּ אֶחָיו, וַיַּעֲלוּ אֶת יוֹסֵף מִן הַבּוֹר וַיִּמְכְּרוּ אֶת יוֹסֵף לַיִּשְׁמְעֵאלִים בְּעֶשְׂרִים כָּסֶף.

בְּרֵאשִׁית לז: כו, כז, כח

וְנִמְכְּרֶנּוּ – וְנִמְכֹּר אוֹתוֹ. וַיִּשְׁמְעוּ – שָׁמְעוּ. וַיַּעֲלוּ – הֶעֱלוּ. וַיִּמְכְּרוּ – מָכְרוּ. בְּעֶשְׂרִים כֶּסֶף – בְּעֶשְׂרִים שֶׁקֶל כֶּסֶף.

הַיֶּלֶד אֵינֶנּוּ!

רְאוּבֵן שָׁב אֶל הַבּוֹר,

וְהִנֵּה יוֹסֵף אֵינֶנּוּ בַּבּוֹר.

הוּא רָץ אֶל הָאַחִים וְשָׁאַל:

הַיֶּלֶד אֵינֶנּוּ! אַיֵּה יוֹסֵף אָחִינוּ?

הָאַחִים סִפְּרוּ לוֹ אֶת כָּל הַדָּבָר.

רְאוּבֵן קָרַע אֶת בְּגָדָיו וְאָמַר:

אֵיךְ אָבֹא אֶל אָבִי – וְהַיֶּלֶד אֵינֶנּוּ!

הָאַחִים שָׁחֲטוּ גְּדִי קָטָן

וְטָבְלוּ אֶת כְּתֹנֶת הַפַּסִּים בַּדָּם.

הֵם הֵבִיאוּ אֶת כְּתֹנֶת הַפַּסִּים אֶל אֲבִיהֶם וְאָמְרוּ:
זֹאת מָצָאנוּ, הַכְּתֹנֶת בִּנְךָ הִיא אִם לֹא?
יַעֲקֹב הִכִּיר אֶת כְּתֹנֶת הַפַּסִּים וְאָמַר:
כְּתֹנֶת בְּנִי הִיא!
חַיָּה רָעָה אָכְלָה אֶת יוֹסֵף!
יַעֲקֹב קָרַע אֶת בְּגָדָיו,
וּבָכָה עַל בְּנוֹ יָמִים רַבִּים.

בַּסִּדְרָה "וַיֵּשֶׁב" כָּתוּב:

וַיִּקְחוּ אֶת כְּתֹנֶת יוֹסֵף, וַיִּשְׁחֲטוּ שְׂעִיר עִזִּים, וַיִּטְבְּלוּ אֶת הַכֻּתֹּנֶת בַּדָּם.
וַיָּבִיאוּ אֶל אֲבִיהֶם וַיֹּאמְרוּ: זֹאת מָצָאנוּ! הַכֶּר נָא, הַכְּתֹנֶת בִּנְךָ הִיא אִם לֹא?
וַיַּכִּירָהּ וַיֹּאמֶר: כְּתֹנֶת בְּנִי! חַיָּה רָעָה אֲכָלָתְהוּ!

בְּרֵאשִׁית לז: לא, לב, לג

וַיִּשְׁחֲטוּ – שָׁחֲטוּ. שְׂעִיר עִזִּים – תַּיִשׁ צָעִיר. וַיִּטְבְּלוּ – טָבְלוּ. וַיָּבִיאוּ – הֵבִיאוּ. וַיַּכִּירָהּ – הִכִּיר אוֹתָהּ.

יוֹסֵף בְּמִצְרַיִם

הַיִּשְׁמְעֵאלִים הֵבִיאוּ אֶת יוֹסֵף אֶל מִצְרַיִם.

הֵם מָכְרוּ אוֹתוֹ לְשַׂר הַמֶּלֶךְ, פּוֹטִיפַר.

יוֹסֵף הָיָה עֶבֶד יָפֶה וְטוֹב,

וְהִצְלִיחַ בְּכָל אֲשֶׁר עָשָׂה.

יוֹסֵף מָצָא חֵן בְּעֵינֵי פּוֹטִיפַר,

וְהוּא הִפְקִיד אוֹתוֹ עַל כָּל בֵּיתוֹ,

וַה׳ בֵּרַךְ אֶת פּוֹטִיפַר בִּגְלַל יוֹסֵף.

פַּעַם כָּעֲסָה עָלָיו אֵשֶׁת פּוֹטִיפַר,
וְהִיא סִפְּרָה לְבַעְלָהּ דְּבָרִים רָעִים עַל יוֹסֵף.
פּוֹטִיפַר שָׂם אֶת יוֹסֵף אֶל בֵּית הַסֹּהַר.
יוֹסֵף מָצָא חֵן בְּעֵינֵי שַׂר בֵּית הַסֹּהַר,
וְהוּא הִפְקִיד אוֹתוֹ לְרֹאשׁ עַל כָּל הָאֲסִירִים.
בְּבֵית הַסֹּהַר הַזֶּה יָשְׁבוּ שְׁנֵי שָׂרֵי הַמֶּלֶךְ:
שַׂר הַמַּשְׁקִים וְשַׂר הָאוֹפִים.
וְיוֹסֵף הָיָה מְשָׁרֵת אֶת הַשָּׂרִים הָאֵלֶּה.

בַּסִּדְרָה "וַיֵּשֶׁב" כָּתוּב:

וַיִּקְצֹף פַּרְעֹה עַל שַׂר הַמַּשְׁקִים וְשַׂר הָאוֹפִים. וַיִּתֵּן אוֹתָם אֶל בֵּית הַסֹּהַר, מְקוֹם אֲשֶׁר יוֹסֵף אָסוּר שָׁם.
וַיִּפְקֹד שַׂר בֵּית הַסֹּהַר אֶת יוֹסֵף אִתָּם, וַיְשָׁרֶת אוֹתָם.

בְּרֵאשִׁית מ: ב, ג, ד

וַיִּקְצֹף – קָצַף, כָּעַס. אָסוּר – was imprisoned.
וַיִּפְקֹד – הִפְקִיד. שַׂר הַטַּבָּחִים – chief steward.

הַחֲלוֹם שֶׁל שַׂר הַמַּשְׁקִים

בֹּקֶר אֶחָד רָאָה יוֹסֵף,

כִּי שַׂר הַמַּשְׁקִים וְשַׂר הָאוֹפִים עֲצוּבִים מְאֹד.

יוֹסֵף שָׁאַל אוֹתָם:

מַדּוּעַ פְּנֵיכֶם רָעִים הַיּוֹם?

וְהֵם עָנוּ:

אֲנַחְנוּ חָלַמְנוּ חֲלוֹם,

וְאֵין אֲנַחְנוּ יוֹדְעִים אֶת הַפִּתְרוֹן.

אָמַר יוֹסֵף:

סַפְּרוּ לִי אֶת הַחֲלוֹם.

אָמַר שַׂר הַמַּשְׁקִים:

רָאִיתִי בַּחֲלוֹמִי גֶּפֶן, וּבַגֶּפֶן שְׁלֹשָׁה שָׂרִיגִים.

אֲנִי שָׁחַטְתִּי אֶת הָעֲנָבִים שֶׁל הַגֶּפֶן אֶל כּוֹס,

וְנָתַתִּי אֶת הַכּוֹס אֶל הַמֶּלֶךְ פַּרְעֹה.

אָמַר יוֹסֵף: זֶה פִּתְרוֹן הַחֲלוֹם:

שְׁלֹשָׁה שָׂרִיגִים – שְׁלֹשָׁה יָמִים הֵם.

בְּעוֹד שְׁלֹשָׁה יָמִים תִּהְיֶה עוֹד פַּעַם שַׂר הַמַּשְׁקִים.

וְעַתָּה עֲשֵׂה נָא עִמִּי חֶסֶד:

סַפֵּר אֶל פַּרְעֹה, כִּי שָׂמוּ אוֹתִי אֶל בֵּית הַסֹּהַר,

וַאֲנִי לֹא עָשִׂיתִי דָּבָר.

בַּסִּדְרָה "וַיֵּשֶׁב" כָּתוּב:

וַיְסַפֵּר שַׂר הַמַּשְׁקִים אֶת חֲלוֹמוֹ לְיוֹסֵף

וַיֹּאמֶר לוֹ: בַּחֲלוֹמִי וְהִנֵּה גֶפֶן לְפָנָי,

וּבַגֶּפֶן שְׁלֹשָׁה שָׂרִיגִם.

וְכוֹס פַּרְעֹה בְּיָדִי. וָאֶקַּח אֶת

הָעֲנָבִים, וָאֶשְׂחַט אוֹתָם אֶל כּוֹס פַּרְעֹה.

וָאֶתֵּן אֶת הַכּוֹס עַל כַּף פַּרְעֹה.

בְּרֵאשִׁית מ: ט, י, יא

וָאֶקַּח – לָקַחְתִּי. וָאֶשְׂחַט – שָׂחַטְתִּי. וָאֶתֵּן – נָתַתִּי.

הַחֲלוֹם שֶׁל שַׂר הָאוֹפִים

שַׂר הָאוֹפִים רָאָה, כִּי הַפִּתְרוֹן הָיָה טוֹב,

וְהוּא אָמַר אֶל יוֹסֵף:

בַּחֲלוֹמִי וְהִנֵּה שְׁלֹשָׁה סַלִּים עַל רֹאשִׁי,

וּבַסַּל הָעֶלְיוֹן כָּל מִינֵי עֻגוֹת,

וְהָעוֹף אוֹכֵל אוֹתָן מִן הַסַּל, מֵעַל רֹאשִׁי.

אָמַר יוֹסֵף,

שְׁלֹשָׁה סַלִּים שְׁלֹשָׁה יָמִים הֵם.

בְּעוֹד שְׁלֹשָׁה יָמִים פַּרְעֹה יִתְלֶה אוֹתְךָ עַל עֵץ,

וְהָעוֹף יֹאכַל אֶת בְּשָׂרְךָ מֵעָלֶיךָ.

כַּאֲשֶׁר פָּתַר יוֹסֵף כֵּן הָיָה.

בַּיּוֹם הַשְּׁלִישִׁי הָיָה יוֹם הֻלֶּדֶת פַּרְעֹה.

הַמֶּלֶךְ עָשָׂה מִשְׁתֶּה לְכָל שָׂרָיו,

וְהוּא צִוָּה לְהָשִׁיב אֶת שַׂר הַמַּשְׁקִים עַל כַּנּוֹ,

וְאֶת שַׂר הָאוֹפִים צִוָּה לִתְלוֹת עַל עֵץ.

וְשַׂר הַמַּשְׁקִים לֹא זָכַר אֶת יוֹסֵף.

הוּא שָׁכַח אוֹתוֹ.

בַּסִּדְרָה "וַיֵּשֶׁב" כָּתוּב:

וַיְהִי בַּיּוֹם הַשְּׁלִישִׁי, יוֹם הֻלֶּדֶת אֶת פַּרְעֹה, וַיַּעַשׂ מִשְׁתֶּה לְכָל עֲבָדָיו.

וַיָּשֶׁב אֶת שַׂר הַמַּשְׁקִים עַל מַשְׁקֵהוּ, וַיִּתֵּן הַכּוֹס עַל כַּף פַּרְעֹה.

וְאֵת שַׂר הָאוֹפִים תָּלָה, כַּאֲשֶׁר פָּתַר לָהֶם יוֹסֵף.

וְלֹא זָכַר שַׂר הַמַּשְׁקִים אֶת יוֹסֵף וַיִּשְׁכָּחֵהוּ.

בְּרֵאשִׁית מ: כ, כא, כב, כג

מַשְׁקֵהוּ – his cupbearing. וַיִּשְׁכָּחֵהוּ – שָׁכַח אוֹתוֹ.

מִקֵּץ

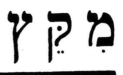

חֲלוֹם פַּרְעֹה

עָבְרוּ שְׁתֵּי שָׁנִים וּפַרְעֹה חָלַם חֲלוֹם.
בַּחֲלוֹמוֹ הוּא עוֹמֵד עַל שְׂפַת הַיְאוֹר.
וְהִנֵּה שֶׁבַע פָּרוֹת שְׁמֵנוֹת וְיָפוֹת
עוֹלוֹת מִן הַיְאוֹר, וְרוֹעוֹת בָּאָחוּ.
אַחֲרֵיהֶן יוֹצְאוֹת עוֹד שֶׁבַע פָּרוֹת.
הַפָּרוֹת הָאֵלּוּ הָיוּ דַקּוֹת וְרָעוֹת מַרְאֶה.
וְהַפָּרוֹת הַדַּקּוֹת אָכְלוּ אֶת הַפָּרוֹת הַשְּׁמֵנוֹת.
פַּרְעֹה פָּקַח אֶת עֵינָיו וְנִרְדַּם עוֹד פַּעַם.
וְהוּא חָלַם עוֹד:
שֶׁבַע שִׁבֳּלִים עוֹלוֹת, טוֹבוֹת וּמְלֵאוֹת גַּרְעִינִים.

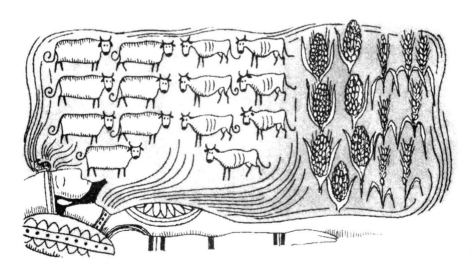

וְאַחֲרֵיהֶן צוֹמְחוֹת שֶׁבַע שִׁבֳּלִים דַּקּוֹת וְרֵיקוֹת.
וְהַשִּׁבֳּלִים הָרֵיקוֹת בָּלְעוּ אֶת הַשִּׁבֳּלִים הַמְּלֵאוֹת.
בַּבֹּקֶר קָרָא פַּרְעֹה אֶת כָּל חַרְטֻמֵּי מִצְרַיִם,
וְהוּא סִפֵּר לָהֶם אֶת חֲלוֹמוֹ.
אֲבָל הֵם לֹא יָדְעוּ אֶת הַפִּתְרוֹן.

בַּסִּדְרָה "מִקֵּץ" כָּתוּב:

וַיְהִי מִקֵּץ שְׁנָתַיִם יָמִים, וּפַרְעֹה חוֹלֵם: וְהִנֵּה עוֹמֵד עַל הַיְאֹר. וְהִנֵּה מִן הַיְאֹר עוֹלוֹת שֶׁבַע פָּרוֹת יְפוֹת מַרְאֶה וּבְרִיאוֹת בָּשָׂר, וַתִּרְעֶינָה בָּאָחוּ.

וְהִנֵּה שֶׁבַע פָּרוֹת אֲחֵרוֹת עוֹלוֹת אַחֲרֵיהֶן מִן הַיְאֹר, רָעוֹת מַרְאֶה וְדַקּוֹת בָּשָׂר.

וַתֹּאכַלְנָה הַפָּרוֹת רָעוֹת הַמַּרְאֶה וְדַקּוֹת הַבָּשָׂר אֶת שֶׁבַע הַפָּרוֹת יְפוֹת הַמַּרְאֶה וְהַבְּרִיאוֹת.

בְּרֵאשִׁית מא: א, ב, ג, ד

מִקֵּץ – אַחֲרֵי. שְׁנָתַיִם – שְׁתֵּי שָׁנִים. בְּרִיאוֹת בָּשָׂר – שְׁמֵנוֹת. וַתִּרְעֶינָה – הֵן רָעוּ. אָחוּ – pasture.

פִּתְרוֹן הַחֲלוֹם

שַׂר הַמַּשְׁקִים נִגַּשׁ אֶל הַמֶּלֶךְ וְאָמַר:

לִפְנֵי שְׁתֵּי שָׁנִים הָיִיתִי בְּבֵית הַסֹּהַר.

וְשָׁם הָיָה נַעַר עִבְרִי חָכָם מְאֹד.

פַּעַם חָלַמְתִּי חֲלוֹם וְהוּא פָּתַר אֶת חֲלוֹמִי.

וְכַאֲשֶׁר פָּתַר לִי כֵּן הָיָה.

הַמֶּלֶךְ צִוָּה לְהָבִיא אֶת יוֹסֵף לְפָנָיו,

וְהוּא סִפֵּר לוֹ אֶת חֲלוֹמוֹ.

יוֹסֵף אָמַר:

שְׁנֵי הַחֲלוֹמוֹת – חֲלוֹם אֶחָד הוּא.

שֶׁבַע הַפָּרוֹת הַטּוֹבוֹת וְשֶׁבַע הַשִּׁבֳּלִים הַטּוֹבוֹת
הֵן שֶׁבַע שָׁנִים שֶׁל שָׂבָע.
שֶׁבַע הַפָּרוֹת הַדַּקּוֹת, וְשֶׁבַע הַשִּׁבֳּלִים הָרֵיקוֹת
הֵן שֶׁבַע שָׁנִים שֶׁל רָעָב.
הִנֵּה שֶׁבַע שָׁנִים בָּאוֹת,
וְשָׂבָע גָּדוֹל יִהְיֶה בְּכָל אֶרֶץ מִצְרַיִם.
וְאַחֲרֵיהֶן תָּבֹאנָה שֶׁבַע שָׁנִים שֶׁל רָעָב,
רָעָב כָּבֵד מְאֹד.

בַּסִּדְרָה "מִקֵּץ" כָּתוּב:

וַיֹּאמֶר יוֹסֵף אֶל פַּרְעֹה: חֲלוֹם פַּרְעֹה אֶחָד הוּא. אֵת אֲשֶׁר אֱלֹהִים עוֹשֶׂה הִגִּיד לְפַרְעֹה.

הִנֵּה שֶׁבַע שָׁנִים בָּאוֹת – שָׂבָע גָּדוֹל בְּכָל אֶרֶץ מִצְרָיִם.

וְקָמוּ שֶׁבַע שְׁנֵי רָעָב אַחֲרֵיהֶן, וְכִלָּה הָרָעָב אֶת הָאָרֶץ, כִּי כָבֵד הוּא מְאֹד.

בְּרֵאשִׁית מא: כה, כט, ל, לא

וְכִלָּה – and it will destroy, כָּבֵד – קָשֶׁה.

יוֹסֵף – הַמִּשְׁנֶה לַמֶּלֶךְ

שָׁאַל פַּרְעֹה אֶת יוֹסֵף:
תֵּן לִי עֵצָה – מַה לַּעֲשׂוֹת?
עָנָה יוֹסֵף:
הַמֶּלֶךְ יִקַּח אִישׁ נָבוֹן וְחָכָם,
וְיָשִׂים אוֹתוֹ עַל כָּל אֶרֶץ מִצְרַיִם.
הָאִישׁ הַזֶּה יַפְקִיד פְּקִידִים,
וְהֵם יִקְבְּצוּ אֶת הָאֹכֶל שֶׁל הַשָּׁנִים הַטּוֹבוֹת.

וְהָאֹכֶל הַזֶּה יִהְיֶה לְפִקָּדוֹן לַשָּׁנִים הָרָעוֹת.

הָעֵצָה הַזֹּאת מָצְאָה חֵן בְּעֵינֵי הַמֶּלֶךְ, וְהוּא אָמַר:

אֵין אִישׁ נָבוֹן וְחָכָם כָּמוֹךָ!

פַּרְעֹה הֵסִיר אֶת טַבַּעְתּוֹ וְנָתַן אוֹתָהּ לְיוֹסֵף.

הַמֶּלֶךְ אָמַר אֶל יוֹסֵף:

אַתָּה תִּהְיֶה הַמּוֹשֵׁל עַל כָּל אֶרֶץ מִצְרַיִם,

רַק אֲנִי אֶגְדַּל מִמְּךָ.

מִן הַיּוֹם הַהוּא הָיָה יוֹסֵף הַמִּשְׁנֶה לַמֶּלֶךְ פַּרְעֹה.

בַּסִּדְרָה "מִקֵּץ" כָּתוּב:

וַיֹּאמֶר פַּרְעֹה אֶל יוֹסֵף:

אַחֲרֵי הוֹדִיעַ אֱלֹהִים אוֹתְךָ אֶת כָּל זֹאת, אֵין נָבוֹן וְחָכָם כָּמוֹךָ.

אַתָּה תִּהְיֶה עַל בֵּיתִי, וְעַל פִּיךָ יִשַּׁק כָּל עַמִּי, רַק הַכִּסֵּא אֶגְדַּל מִמֶּךָּ.

רְאֵה נָתַתִּי אוֹתְךָ עַל כָּל אֶרֶץ מִצְרָיִם. וַיָּסַר פַּרְעֹה אֶת טַבַּעְתּוֹ מֵעַל יָדוֹ, וַיִּתֵּן אוֹתָהּ עַל יַד יוֹסֵף.

בְּרֵאשִׁית מא: לט, מ, מא, מב

הוֹדִיעַ – הִגִּיד. יִשַּׁק – will be ruled.

הָרָעָב בְּאֶרֶץ כְּנַעַן

כַּאֲשֶׁר פָּתַר יוֹסֵף כֵּן הָיָה.

שֶׁבַע שָׁנִים טוֹבוֹת בָּאוּ עַל מִצְרַיִם.

בַּשָּׁנִים הָאֵלּוּ הָיָה שָׂבָע גָּדוֹל בָּאָרֶץ.

יוֹסֵף וְהַפְּקִידִים שֶׁלּוֹ אָסְפוּ בָּר רַב,

וְשָׂמוּ אוֹתוֹ בְּמַחְסָנִים גְּדוֹלִים לַשָּׁנִים הָרָעוֹת.

אַחֲרֵי כֵן בָּאוּ שֶׁבַע שָׁנִים רָעוֹת.

בְּכָל הָאֲרָצוֹת הָיָה רָעָב,

אֲבָל בְּאֶרֶץ מִצְרַיִם הָיָה אֹכֶל רַב,

כִּי הֵם אָכְלוּ אֶת הַבָּר אֲשֶׁר בַּמַּחְסָנִים.

גַּם בְּאֶרֶץ כְּנַעַן הָיוּ שָׁנִים רָעוֹת,

וְהֵם בָּאוּ אֶל מִצְרַיִם לִקְנוֹת אֹכֶל.

יַעֲקֹב שָׁמַע, כִּי בְּמִצְרַיִם יֵשׁ בָּר רַב,
וְהוּא שָׁלַח עֲשָׂרָה בָּנִים לִקְנוֹת אֹכֶל לַמִּשְׁפָּחָה.
רַק אֶת בִּנְיָמִין, הַבֵּן הַקָּטָן, לֹא שָׁלַח יַעֲקֹב,
כִּי יָרֵא פֶּן יִקְרֶה לוֹ אָסוֹן,
כְּמוֹ שֶׁקָּרָה לְיוֹסֵף אָחִיו.

בַּסִּדְרָה "מִקֵּץ" כָּתוּב:

וַיַּרְא יַעֲקֹב כִּי יֶשׁ שֶׁבֶר בְּמִצְרָיִם וַיֹּאמֶר לְבָנָיו: הִנֵּה שָׁמַעְתִּי, כִּי יֵשׁ שֶׁבֶר בְּמִצְרָיִם. רְדוּ שָׁמָּה, וְשִׁבְרוּ לָנוּ מִשָּׁם, וְנִחְיֶה וְלֹא נָמוּת.

וַיֵּרְדוּ אֲחֵי יוֹסֵף עֲשָׂרָה לִשְׁבֹּר בָּר מִמִּצְרָיִם.

וְאֶת בִּנְיָמִין, אֲחִי יוֹסֵף, לֹא שָׁלַח יַעֲקֹב אֶת אֶחָיו, כִּי אָמַר: פֶּן יִקְרָאֶנּוּ אָסוֹן.

בְּרֵאשִׁית מב: א, ב, ג, ד

שֶׁבֶר – תְּבוּאָה, grain. שִׁבְרוּ – קְנוּ תְּבוּאָה. בָּר – תְּבוּאָה. יִקְרָאֶנּוּ – יִקְרֶה אוֹתוֹ. אָסוֹן – misfortune.

מְרַגְּלִים אַתֶּם!

הָאַחִים בָּאוּ אֶל אֶרֶץ מִצְרַיִם,
וְעָמְדוּ לִפְנֵי יוֹסֵף, הַמּוֹשֵׁל עַל הָאָרֶץ.
יוֹסֵף הִבִּיט אֶל הָאַחִים וְהִכִּיר אוֹתָם,
אֲבָל הֵם לֹא הִכִּירוּ אוֹתוֹ.
יוֹסֵף זָכַר אֶת אֲשֶׁר עָשׂוּ לוֹ הָאַחִים,
וְהוּא דִּבֵּר אֲלֵיהֶם קָשׁוֹת.
הוּא אָמַר: מְרַגְּלִים אַתֶּם!
הָאַחִים עָנוּ:

לֹא, אֲדוֹנִי, אֲנָשִׁים כֵּנִים אֲנַחְנוּ,
בְּנֵי מִשְׁפָּחָה אַחַת שֶׁל שְׁנֵים עָשָׂר אַחִים.
אָחִינוּ הַקָּטָן נִשְׁאַר בַּבַּיִת,
וְעוֹד אָח אֶחָד אֵינֶנּוּ.

יוֹסֵף אָמַר:

אִם בֶּאֱמֶת אַתֶּם אֲנָשִׁים כֵּנִים,
שִׁלְחוּ אָח אֶחָד אֶל אֶרֶץ כְּנַעַן,
וְהוּא יָבִיא הֵנָּה אֶת אֲחִיכֶם הַקָּטָן.
אָז אֵדַע, כִּי אַתֶּם לֹא מְרַגְּלִים.

וְהוּא שָׂם אוֹתָם אֶל בֵּית הַסֹּהַר.

בַּסִּדְרָה "מִקֵּץ" כָּתוּב:

וַיֹּאמְרוּ הָאַחִים אֵלָיו:
לֹא, אֲדֹנִי, וַעֲבָדֶיךָ בָּאוּ לִשְׁבָּר אֹכֶל.
כֵּנִים אֲנַחְנוּ, לֹא הָיוּ עֲבָדֶיךָ מְרַגְּלִים.
שְׁנֵים עָשָׂר אַחִים אֲנַחְנוּ, בְּנֵי אִישׁ אֶחָד
בְּאֶרֶץ כְּנָעַן. וְהִנֵּה הַקָּטֹן אֶת אָבִינוּ הַיּוֹם,
וְהָאֶחָד אֵינֶנּוּ.

בְּרֵאשִׁית מב: י, יא, יג

כֵּנִים – אֲנָשִׁים יְשָׁרִים.

יוֹסֵף רִחֵם עַל הָאַחִים

בַּיּוֹם הַשְּׁלִישִׁי אָמַר יוֹסֵף אֶל הָאַחִים:

רַק אָח אֶחָד יִשָּׁאֵר בְּבֵית הַסֹּהַר.

וְתִשְׁעָה אַחִים יָשׁוּבוּ אֶל בֵּית אֲבִיכֶם.

אֲנִי אֶמְכֹּר לָכֶם דֵּי אֹכֶל לַמִּשְׁפָּחָה שֶׁלָּכֶם,

וְאַתֶּם תָּבִיאוּ הֵנָּה אֶת הָאָח הַקָּטָן.

הָאַחִים אָמְרוּ זֶה אֶל זֶה:

ה׳ עוֹנֵשׁ אוֹתָנוּ, כִּי מָכַרְנוּ אֶת אָחִינוּ לַיִּשְׁמְעֵאלִים,

וְעַל כֵּן בָּאָה עָלֵינוּ הַצָּרָה הַזֹּאת.

וּרְאוּבֵן אָמַר לָאַחִים:

הֲלֹא אָמַרְתִּי לָכֶם לֹא לַעֲשׂוֹת רָעָה לַיֶּלֶד,

וְאַתֶּם לֹא שְׁמַעְתֶּם בְּקוֹלִי.

הָאַחִים לֹא יָדְעוּ, כִּי יוֹסֵף יוֹדֵעַ עִבְרִית.

יוֹסֵף שָׁמַע אֶת דִּבְרֵיהֶם, סָר אֶל הַצַּד וּבָכָה.

אַחֲרֵי כֵן צִוָּה יוֹסֵף לְמַלֵּא אֶת שַׂקֵּיהֶם בָּר,

וְגַם לְהָשִׁיב אֶת כַּסְפָּם אִישׁ אֶל שַׂקּוֹ,

וְלָתֵת לָהֶם צֵדָה לַדֶּרֶךְ.

וְאֶת שִׁמְעוֹן אֲחִיהֶם שָׂם אֶל בֵּית הַסֹּהַר.

בַּסִּדְרָה "מִקֵּץ" כָּתוּב:

וְהֵם לֹא יָדְעוּ, כִּי שֹׁמֵעַ יוֹסֵף. וַיִּסֹּב מֵעֲלֵיהֶם וַיֵּבְךְּ. וַיָּשָׁב אֲלֵהֶם, וַיְדַבֵּר אֲלֵהֶם, וַיִּקַּח מֵאִתָּם אֶת שִׁמְעוֹן, וַיֶּאֱסֹר אוֹתוֹ לְעֵינֵיהֶם.

וַיְצַו יוֹסֵף וַיְמַלְאוּ אֶת כְּלֵיהֶם בָּר, וּלְהָשִׁיב כַּסְפֵּיהֶם אִישׁ אֶל שַׂקּוֹ, וְלָתֵת לָהֶם צֵדָה לַדָּרֶךְ. וַיַּעַשׂ לָהֶם כֵּן.

בְּרֵאשִׁית מב: כג, כד, כה

שׁוֹמֵעַ – מֵבִין. וַיִּסֹּב – and he turned away, וַיֵּבְךְּ – בָּכָה.
וַיֶּאֱסֹר – אָסַר, imprisoned. וַיְצַו – צִוָּה. וַיְמַלְאוּ –
מִלְּאוּ. וַיַּעַשׂ – עָשָׂה.

בַּדֶּרֶךְ

הָאַחִים שָׂמוּ אֶת הַשַּׂקִּים עַל הַחֲמוֹרִים,

וְהָלְכוּ אֶל אֶרֶץ כְּנַעַן.

בַּדֶּרֶךְ פָּתַח אָח אֶחָד אֶת שַׂקּוֹ

וְרָאָה אֶת צְרוֹר כַּסְפּוֹ בַּשַּׂק.

הוּא קָרָא אֶל אֶחָיו וְאָמַר:

הַבִּיטוּ וּרְאוּ, הִנֵּה כַּסְפִּי בְּשַׂקִּי!

בְּלֵב כָּבֵד בָּאוּ אֶל יַעֲקֹב אֲבִיהֶם,

וְסִפְּרוּ לוֹ אֶת כָּל אֲשֶׁר קָרָה אוֹתָם.

פָּתְחוּ הָאַחִים אֶת שַׂקֵּיהֶם,

וְהִנֵּה אִישׁ צְרוֹר כַּסְפּוֹ בְּשַׂקּוֹ.

פַּחַד גָּדוֹל נָפַל עֲלֵיהֶם.

אָמַר לָהֶם יַעֲקֹב:

מַה זֹּאת עֲשִׂיתֶם לִי?

יוֹסֵף אֵינֶנּוּ, שִׁמְעוֹן אֵינֶנּוּ,

וְאַתֶּם רוֹצִים לָקַחַת מִמֶּנִּי אֶת בִּנְיָמִין.

לֹא, בְּנִי הַקָּטָן לֹא יֵרֵד עִמָּכֶם,

כִּי אָחִיו מֵת, וְהוּא לְבַדּוֹ נִשְׁאַר.

בַּסִּדְרָה "מִקֵּץ" כָּתוּב:

וַיְהִי הֵם מְרִיקִים שַׂקֵּיהֶם, וְהִנֵּה אִישׁ צְרוֹר כַּסְפּוֹ בְּשַׂקּוֹ. וַיִּרְאוּ אֶת צְרוֹרוֹת כַּסְפֵּיהֶם, הֵמָּה וַאֲבִיהֶם, וַיִּירָאוּ.

וַיֹּאמֶר אֲלֵיהֶם יַעֲקֹב אֲבִיהֶם:

יוֹסֵף אֵינֶנּוּ, וְשִׁמְעוֹן אֵינֶנּוּ, וְאֶת בִּנְיָמִן תִּקָּחוּ. לֹא יֵרֵד בְּנִי עִמָּכֶם, כִּי אָחִיו מֵת, וְהוּא לְבַדּוֹ נִשְׁאָר.

בְּרֵאשִׁית מב: לה, לו, לח

מְרִיקִים – emptying . וַיִּרְאוּ – רָאוּ. וַיִּירָאוּ – יָרְאוּ, פָּחֲדוּ.

יַעֲקֹב נָתַן לָהֶם אֶת בִּנְיָמִין

כַּאֲשֶׁר הֵם גָּמְרוּ לֶאֱכֹל אֶת הַשֶּׁבֶר,
אֲשֶׁר הֵבִיאוּ מֵאֶרֶץ מִצְרַיִם,
אָמַר יַעֲקֹב אֶל בָּנָיו:
שׁוּבוּ אֶל מִצְרַיִם וּקְנוּ לָנוּ מְעַט אֹכֶל.
אָמַר יְהוּדָה אֶל אָבִיו,
כִּי אָסוּר לָהֶם לָבֹא אֶל מִצְרַיִם בְּלִי בִּנְיָמִין,
כִּי הָאִישׁ אֲשֶׁר בְּמִצְרַיִם אָמַר:
לֹא תִרְאוּ פָנַי בְּלִי אֲחִיכֶם אִתְּכֶם!
רָאָה יַעֲקֹב כִּי עוֹד מְעַט יָמוּתוּ בָּרָעָב,
וְהוּא נָתַן לָהֶם אֶת בִּנְיָמִין.

וְגַם מִנְחָה נָתַן לָהֶם בִּשְׁבִיל הָאִישׁ.
הָאַחִים לָקְחוּ אֶת הַמִּנְחָה,
וְאֶת הַכֶּסֶף, אֲשֶׁר מָצְאוּ בַּשַּׂקִּים,
וְגַם כֶּסֶף אַחֵר לָקְחוּ אִתָּם,
וְהָלְכוּ אֶל אֶרֶץ מִצְרַיִם לִקְנוֹת אֹכֶל.

בַּסִּדְרָה "מִקֵּץ" כָּתוּב:

וַיֹּאמֶר אֲלֵהֶם יִשְׂרָאֵל אֲבִיהֶם:
קְחוּ מִזִּמְרַת הָאָרֶץ וְהוֹרִידוּ לָאִישׁ מִנְחָה. וְאֶת הַכֶּסֶף הַמּוּשָׁב בְּפִי אַמְתְּחוֹתֵיכֶם תָּשִׁיבוּ בְיֶדְכֶם, אוּלַי מִשְׁגֶּה הוּא.
וְאֶת אֲחִיכֶם קָחוּ, וְקוּמוּ שׁוּבוּ אֶל הָאִישׁ. וְאֵל שַׁדַּי יִתֵּן לָכֶם רַחֲמִים לִפְנֵי הָאִישׁ, וְשִׁלַּח לָכֶם אֶת אֲחִיכֶם אַחֵר וְאֶת בִּנְיָמִין.

בְּרֵאשִׁית מג: יא, יב, יג, יד

מִזִּמְרַת הָאָרֶץ – מִפְּרִי הָאָרֶץ. מִנְחָה – מַתָּנָה. מִשְׁגֶּה – שְׁגִיאָה, mistake. רַחֲמִים – mercy.

בִּנְיָמִין בְּמִצְרַיִם

הָאַחִים בָּאוּ אֶל מִצְרַיִם

וְעָמְדוּ לִפְנֵי יוֹסֵף.

יוֹסֵף רָאָה אֶת בִּנְיָמִין בֵּין הָאַחִים

וְהוּא צִוָּה לְהָבִיא אוֹתָם אֶל בֵּיתוֹ,

כִּי הוּא רוֹצֶה לֶאֱכֹל אִתָּם אֲרוּחַת הַצָּהֳרַיִם.

הַפָּקִיד שֶׁלּוֹ הֵבִיא אוֹתָם אֶל בֵּית יוֹסֵף.

כַּאֲשֶׁר בָּאוּ הָאַחִים אֶל פֶּתַח הַבַּיִת

נִגְּשׁוּ אֶל הַפָּקִיד וְאָמְרוּ לוֹ,

כִּי הֵם מָצְאוּ אֶת כַּסְפָּם בְּשַׂקֵּיהֶם,

וְהֵם רוֹצִים לְהָשִׁיב לוֹ אֶת הַכֶּסֶף.

הַפָּקִיד אָמַר לָהֶם: אַל תִּירָאוּ!

אֲנַחְנוּ קִבַּלְנוּ אֶת כַּסְפְּכֶם בְּעַד הָאֹכֶל.

וְהַכֶּסֶף, אֲשֶׁר מְצָאתֶם בַּשַּׂקִּים, הוּא שֶׁלָּכֶם.

אֱלֹקֵיכֶם נָתַן לָכֶם מַטְמוֹן.

אַחֲרֵי כֵן הוֹצִיא הַפָּקִיד אֶת שִׁמְעוֹן,

וְהָאַחִים שָׂמְחוּ מְאֹד לִקְרָאתוֹ.

בַּסִּדְרָה "מִקֵּץ" כָּתוּב:

וַיִּגְּשׁוּ אֶל הָאִישׁ אֲשֶׁר עַל בֵּית יוֹסֵף,

וַיְדַבְּרוּ אֵלָיו פֶּתַח הַבָּיִת. וַיֹּאמְרוּ:

בִּי, אֲדֹנִי, יָרֹד יָרַדְנוּ בַּתְּחִלָּה לִשְׁבָּר

אֹכֶל. וַיְהִי כִּי בָאנוּ אֶל הַמָּלוֹן, וַנִּפְתְּחָה

אֶת אַמְתְּחֹתֵינוּ, וְהִנֵּה כֶסֶף אִישׁ בְּפִי

אַמְתַּחְתּוֹ. וַנָּשֶׁב אֹתוֹ בְּיָדֵנוּ.

וַיֹּאמֶר: שָׁלוֹם לָכֶם, אַל תִּירָאוּ!

אֱלֹהֵיכֶם וֵאלֹהֵי אֲבִיכֶם נָתַן לָכֶם מַטְמוֹן

בְּאַמְתְּחֹתֵיכֶם. כַּסְפְּכֶם בָּא אֵלָי.

בְּרֵאשִׁית מג: יט, כ, כא, כג

בִּי – בְּבַקָּשָׁה. בַּתְּחִלָּה – בָּרִאשׁוֹנָה. אַמְתַּחַת – שַׂק.

וַנָּשֶׁב – הֵשַׁבְנוּ, we brought back. מַטְמוֹן – treasure.

הָאַחִים בְּבֵית יוֹסֵף

הַפָּקִיד נָתַן לָאַחִים מַיִם לִרְחֹץ רַגְלֵיהֶם,

וְהוּא נָתַן לָהֶם גַּם מִסְפּוֹא לַחֲמוֹרֵיהֶם.

הָאַחִים הֵכִינוּ אֶת הַמִּנְחָה שֶׁל אֲבִיהֶם,

כִּי שָׁמְעוּ, כִּי שָׁם יֹאכְלוּ לֶחֶם עִם יוֹסֵף.

בַּצָּהֳרַיִם בָּא יוֹסֵף אֶל הַבַּיִת.

הָאַחִים קָמוּ וְהִשְׁתַּחֲווּ לְפָנָיו,

וְהֵם נָתְנוּ לוֹ אֶת הַמִּנְחָה.

יוֹסֵף שָׁאַל לָהֶם לְשָׁלוֹם,

וְגַם שָׁאַל לִשְׁלוֹם אֲבִיהֶם הַזָּקֵן.

הָאַחִים עָנוּ: שָׁלוֹם לָנוּ,

וְשָׁלוֹם גַּם לְעַבְדְּךָ, לְאָבִינוּ.

יוֹסֵף נָשָׂא אֶת עֵינָיו וְרָאָה אֶת בִּנְיָמִין.

יוֹסֵף שָׁאַל: הַאִם זֶה הוּא אֲחִיכֶם הַקָּטָן?

הָאַחִים עָנוּ: כֵּן, אֲדוֹנִי!

וְיוֹסֵף אָמַר:

אֱלֹקִים יָחְנְךָ, בְּנִי!

בַּסִּדְרָה "מִקֵּץ" כָּתוּב:

וַיָּבֵא הָאִישׁ אֶת הָאֲנָשִׁים בֵּיתָה יוֹסֵף, וַיִּתֶּן מַיִם, וַיִּרְחֲצוּ רַגְלֵיהֶם, וַיִּתֵּן מִסְפּוֹא לַחֲמֹרֵיהֶם.

וַיָּכִינוּ אֶת הַמִּנְחָה עַד בּוֹא יוֹסֵף בַּצָּהֳרָיִם, כִּי שָׁמְעוּ, כִּי שָׁם יֹאכְלוּ לָחֶם.

וַיָּבֹא יוֹסֵף הַבַּיְתָה, וַיָּבִיאוּ לוֹ אֶת הַמִּנְחָה, אֲשֶׁר בְּיָדָם, וַיִּשְׁתַּחֲווּ לוֹ אָרְצָה.

בְּרֵאשִׁית מג: כד, כה, כו

וַיָּבֵא – הֵבִיא. מִסְפּוֹא – אֹכֶל לַחֲמוֹרִים. וַיָּכִינוּ – הֵכִינוּ, prepared.

יוֹסֵף בָּכָה

יוֹסֵף הִבִּיט אֶל בִּנְיָמִין
וְלִבּוֹ הִתְמַלֵּא רַחֲמִים עַל אָחִיו הַקָּטָן.
הוּא יָצָא מִן הַחֶדֶר וּבָכָה.
אַחֲרֵי כֵן רָחַץ אֶת פָּנָיו וְשָׁב אֶל אֶחָיו.
יוֹסֵף הוֹשִׁיב אֶת הָאַחִים לְפִי הַגִּיל:
רְאוּבֵן הַבְּכוֹר יָשַׁב הָרִאשׁוֹן,
שִׁמְעוֹן יָשַׁב הַשֵּׁנִי, וְכֵן הָלְאָה.

הָאַחִים הִתְפַּלְאוּ, מֵאַיִן יָדַע יוֹסֵף אֶת גִּילָם.

הַפָּקִיד הֵבִיא לָהֶם אֹכֶל וָיַיִן,

וְהָאַחִים אָכְלוּ וְשָׁתוּ וְשָׂמְחוּ מְאֹד.

אַחֲרֵי כֵן נָתַן יוֹסֵף לְכָל אֶחָד מַתָּנָה,

וּלְבִנְיָמִין, אָחִיו הַקָּטָן, נָתַן חָמֵשׁ מַתָּנוֹת.

בַּבֹּקֶר צִוָּה יוֹסֵף לְמַלֵּא אֶת שַׂקֵּיהֶם בָּר,

וְגַם לְהָשִׁיב אֶת כַּסְפָּם אֶל שַׂקֵּיהֶם.

וּבַשַּׂק שֶׁל בִּנְיָמִין צִוָּה לָשִׂים אֶת הַגָּבִיעַ שֶׁל יוֹסֵף.

וְהָאַחִים יָצְאוּ אֶת הָעִיר בַּדֶּרֶךְ אֶל אֶרֶץ כְּנַעַן.

בַּסִּדְרָה "מִקֵּץ" כָּתוּב:

וַיְצַו אֶת אֲשֶׁר עַל בֵּיתוֹ לֵאמֹר:

מַלֵּא אֶת אַמְתְּחֹת הָאֲנָשִׁים אֹכֶל,

וְשִׂים כֶּסֶף אִישׁ בְּפִי אַמְתַּחְתּוֹ.

וְאֶת גְּבִיעִי, גְּבִיעַ הַכֶּסֶף, תָּשִׂים בְּפִי

אַמְתַּחַת הַקָּטֹן וְאֵת כֶּסֶף שִׁבְרוֹ.

וַיַּעַשׂ כִּדְבַר יוֹסֵף אֲשֶׁר דִּבֵּר.

בְּרֵאשִׁית מד: א, ב

גָּבִיעַ – כּוֹס גְּדוֹלָה.

הַגָּבִיעַ

הָאַחִים יָצְאוּ אֶת הָעִיר,

וְהֵם הָיוּ שְׂמֵחִים וְטוֹבֵי לֵב.

פִּתְאֹם רָאוּ אִישׁ רוֹדֵף אַחֲרֵיהֶם.

זֶה הָיָה הַפָּקִיד שֶׁל יוֹסֵף.

מַה קָּרָה? שָׁאֲלוּ הָאַחִים.

אָמַר הַפָּקִיד:

מַדּוּעַ עֲשִׂיתֶם רָעָה תַּחַת טוֹבָה?

אַתֶּם לְקַחְתֶּם אֶת הַגָּבִיעַ,

אֲשֶׁר אֲדוֹנִי שׁוֹתֶה בּוֹ וְגַם מְנַחֵשׁ בּוֹ.

אָמְרוּ הָאַחִים:

חָלִילָה לָנוּ מֵעֲשׂוֹת דָּבָר כָּזֶה.

הָאַחִים הוֹרִידוּ אֶת שַׂקֵּיהֶם אַרְצָה,

וְהַפָּקִיד חִפֵּשׂ בְּכָל הַשַּׂקִּים.

הוּא הִתְחִיל בַּשַּׂק שֶׁל רְאוּבֵן,

וְגָמַר בַּשַּׂק שֶׁל בִּנְיָמִין.

וְהַגָּבִיעַ נִמְצָא בַּשַּׂק שֶׁל בִּנְיָמִין.

בַּסִּדְרָה "מִקֵּץ" כָּתוּב:

וַיֹּאמְרוּ הָאַחִים אֵלָיו: חָלִילָה לַעֲבָדֶיךָ מֵעֲשׂוֹת כַּדָּבָר הַזֶּה.

וַיְמַהֲרוּ, וַיּוֹרִדוּ אִישׁ אֶת אַמְתַּחְתּוֹ אַרְצָה, וַיִּפְתְּחוּ אִישׁ אַמְתַּחְתּוֹ.

וַיְחַפֵּשׂ. בַּגָּדוֹל הֵחֵל, וּבַקָּטֹן כִּלָּה, וַיִּמָּצֵא הַגָּבִיעַ בְּאַמְתַּחַת בִּנְיָמִן.

בְּרֵאשִׁית מד: ז, יא, יב

חָלִילָה – God forbid!. וַיְמַהֲרוּ – עָשׂוּ מַהֵר. וַיּוֹרִדוּ – הוֹרִידוּ. וַיְחַפֵּשׂ – חִפֵּשׂ, searched. הֵחֵל – began. כִּלָּה – גָּמַר. וַיִּמָּצֵא [נִמְצָא] and it was found

כֻּלָּנוּ נִהְיֶה עֲבָדִים

כַּאֲשֶׁר רָאוּ הָאַחִים זֹאת, קָרְעוּ אֶת בִּגְדֵיהֶם,
וְהֵם שָׁבוּ אֶל הָעִיר בְּלֵב מָלֵא פַּחַד.
הָאַחִים בָּאוּ אֶל יוֹסֵף,
וְהֵם נָפְלוּ לְפָנָיו אַרְצָה.
יוֹסֵף אָמַר לָהֶם:
מַדּוּעַ עֲשִׂיתֶם דָּבָר כָּזֶה?
אָמַר יְהוּדָה:
מַה נֹּאמַר, וּמַה נְּדַבֵּר?
כֻּלָּנוּ חָטָאנוּ לְפָנֶיךָ.
כֻּלָּנוּ נִהְיֶה עֲבָדִים לְךָ,
גַּם אֲנַחְנוּ, וְגַם אֲשֶׁר נִמְצָא הַגָּבִיעַ בְּשַׂקּוֹ.

אָמַר יוֹסֵף:

חָלִילָה לִי מֵעֲשׂוֹת זֹאת.

הָאִישׁ, אֲשֶׁר נִמְצָא הַגָּבִיעַ בְּיָדוֹ –

הוּא יִהְיֶה לִי עֶבֶד.

וְאַתֶּם לְכוּ לְשָׁלוֹם אֶל אֲבִיכֶם.

בַּסִּדְרָה "מִקֵּץ" כָּתוּב:

וַיֹּאמֶר יְהוּדָה: מַה נֹּאמַר לַאדֹנִי וּמַה נְּדַבֵּר? הָאֱלֹהִים מָצָא אֶת עֲוֹן עֲבָדֶיךָ. הִנֶּנּוּ עֲבָדִים לַאדֹנִי, גַּם אֲנַחְנוּ, גַּם אֲשֶׁר נִמְצָא הַגָּבִיעַ בְּיָדוֹ.

וַיֹּאמֶר יוֹסֵף: חָלִילָה לִּי מֵעֲשׂוֹת זֹאת. הָאִישׁ אֲשֶׁר נִמְצָא הַגָּבִיעַ בְּיָדוֹ, הוּא יִהְיֶה לִּי עָבֶד. וְאַתֶּם עֲלוּ לְשָׁלוֹם אֶל אֲבִיכֶם.

בְּרֵאשִׁית מד: טז, יז

עָוֹן – הַחֵטְא שֶׁל.

וַיִּגַּשׁ

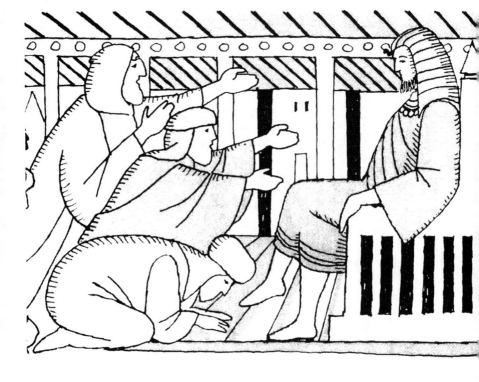

יוֹסֵף הִתְוַדַּע אֶל אֶחָיו

יְהוּדָה נִגַּשׁ אֶל יוֹסֵף וְאָמַר:

יֵשׁ לָנוּ אָב זָקֵן וּבֵן זְקֻנִים קָטָן, בִּנְיָמִין.

וְאָבִיו אוֹהֵב אוֹתוֹ מְאֹד,

כִּי אָחִיו מֵת, וְהוּא נִשְׁאַר לְבַדּוֹ.

וְאִם אֲנַחְנוּ נָשׁוּב הַבַּיְתָה בְּלִי הָאָח הַקָּטָן,

אָז יָמוּת אָבִינוּ מֵרֹב צַעַר.

וִיהוּדָה הוֹסִיף וְאָמַר:

אֲנִי אֶהְיֶה עֶבֶד בִּמְקוֹם הַנַּעַר,

וְהוּא יָשׁוּב עִם אֶחָיו אֶל אָבִיו.

יוֹסֵף לֹא יָכֹל עוֹד לְהִתְאַפֵּק וְהוּא קָרָא:
הוֹצִיאוּ כָּל אִישׁ מֵעָלַי!
וְכָל הָעֲבָדִים שֶׁלּוֹ יָצְאוּ מִן הַחֶדֶר.
יוֹסֵף נָתַן אֶת קוֹלוֹ בִּבְכִי וְקָרָא:
אֲנִי יוֹסֵף! הַעוֹד אָבִי חַי?
וְהָאַחִים לֹא יָכְלוּ לַעֲנוֹת אוֹתוֹ,
כִּי נִבְהֲלוּ מִפָּנָיו.

בַּסִּדְרָה "וַיִּגַּשׁ" כָּתוּב:

וְלֹא יָכֹל יוֹסֵף לְהִתְאַפֵּק, וַיִּקְרָא: הוֹצִיאוּ כָל אִישׁ מֵעָלָי!

וְלֹא עָמַד אִישׁ אִתּוֹ, בְּהִתְוַדַּע יוֹסֵף אֶל אֶחָיו.

וַיִּתֵּן אֶת קוֹלוֹ בִּבְכִי וַיֹּאמֶר: אֲנִי יוֹסֵף! הַעוֹד אָבִי חָי?

וְלֹא יָכְלוּ אֶחָיו לַעֲנוֹת אוֹתוֹ, כִּי נִבְהֲלוּ מִפָּנָיו.

בְּרֵאשִׁית מה: א, ב, ג

לְהִתְאַפֵּק – to control himself. בְּהִתְוַדַּע – כַּאֲשֶׁר הוֹדִיעַ. נִבְהֲלוּ – יָרְאוּ, פָּחֲדוּ.

אַל תִּרְגְּזוּ בַּדָּרֶךְ

יוֹסֵף אָמַר אֶל אֶחָיו: אַל תִּירָאוּ!

וְעַתָּה – אַל תִּהְיוּ עֲצוּבִים,

כִּי מְכַרְתֶּם אוֹתִי מִצְרַיְמָה.

ה׳ שָׁלַח אוֹתִי הֵנָּה לִפְנֵיכֶם

לְהַצִּיל אֶתְכֶם וְעוֹד אֲנָשִׁים רַבִּים מֵרָעָב.

מַהֲרוּ וְהָבִיאוּ הֵנָּה אֶת אָבִי וְכָל מִשְׁפַּחְתּוֹ,

כִּי עוֹד חָמֵשׁ שָׁנִים יִהְיֶה הָרָעָב בָּאָרֶץ.

וְיוֹסֵף חִבֵּק וְנָשַׁק אֶת בִּנְיָמִין אָחִיו וּבָכָה.

אַחֲרֵי כֵן נָשַׁק לְכָל אֶחָיו וּבָכָה עֲלֵיהֶם.

פַּרְעֹה שָׁמַע, כִּי בָּאוּ אֲחֵי יוֹסֵף,

וְהַדָּבָר מָצָא חֵן בְּעֵינָיו וּבְעֵינֵי עֲבָדָיו.

פַּרְעֹה אָמַר לְיוֹסֵף לָתֵת לְאֶחָיו עֲגָלוֹת

לְהָבִיא בָּהֶן אֶת אָבִיו וּמִשְׁפַּחְתּוֹ אֶל מִצְרַיִם.

יוֹסֵף נָתַן לָאַחִים הַרְבֵּה אֹכֶל,
וְגַם חֲלִיפוֹת בְּגָדִים נָתַן לְכֻלָּם.
וְהוּא שִׁלַּח אֶת אֶחָיו וְאָמַר:
אַל תִּרְגְּזוּ בַּדֶּרֶךְ!

בַּסִּדְרָה "וַיִּגַּשׁ" כָּתוּב:

וַיִּתֵּן לָהֶם יוֹסֵף עֲגָלוֹת, עַל פִּי פַּרְעֹה, וַיִּתֵּן לָהֶם צֵדָה לַדָּרֶךְ.
לְכֻלָּם נָתַן חֲלִיפוֹת שְׂמָלוֹת וּלְבִנְיָמִין נָתַן חָמֵשׁ חֲלִיפוֹת שְׂמָלוֹת.
וּלְאָבִיו שָׁלַח כְּזֹאת: עֲשָׂרָה חֲמוֹרִים נוֹשְׂאִים מִטּוּב מִצְרָיִם, וְעֶשֶׂר אֲתוֹנוֹת נוֹשְׂאוֹת בָּר וָלֶחֶם וּמָזוֹן לְאָבִיו לַדָּרֶךְ.
וַיְשַׁלַּח אֶת אֶחָיו וַיֹּאמֶר אֲלֵיהֶם: אַל תִּרְגְּזוּ בַּדָּרֶךְ!

בְּרֵאשִׁית מה: כא, כב, כג, כד

שְׂמָלוֹת – בְּגָדִים. אֲתוֹנוֹת – she donkeys. טוּב – דָּבָר טוֹב. אַל תִּרְגְּזוּ – אַל תַּעֲשׂוּ רִיב.

יַעֲקֹב בְּמִצְרַיִם

הָאַחִים בָּאוּ אֶל יַעֲקֹב אֲבִיהֶם

וְסִפְּרוּ לוֹ, כִּי יוֹסֵף בְּנוֹ חַי,

וְכִי הוּא הַמּוֹשֵׁל בְּאֶרֶץ מִצְרַיִם.

יַעֲקֹב לֹא הֶאֱמִין לָהֶם בָּרִאשׁוֹנָה,

אֲבָל כַּאֲשֶׁר רָאָה אֶת הָעֲגָלוֹת שֶׁל יוֹסֵף,

שָׂמַח שִׂמְחָה גְדוֹלָה מְאֹד וְאָמַר:

אֵלֵךְ וְאֶרְאֶה אוֹתוֹ בְּטֶרֶם אָמוּת,

יַעֲקֹב לָקַח אֶת בָּנָיו וְהַנָּשִׁים שֶׁל בָּנָיו,
וְכָל הַנְּכָדִים וְהַנְּכָדוֹת שֶׁלּוֹ, שִׁשִּׁים וְשֵׁשׁ נֶפֶשׁ,
וְהוּא יָרַד אִתָּם אֶל אֶרֶץ מִצְרַיִם.

אַחֲרֵי יָמִים אֲחָדִים בָּאוּ כֻּלָּם לְאֶרֶץ מִצְרַיִם.
יוֹסֵף אָסַר אֶת הַמֶּרְכָּבָה שֶׁלּוֹ,
וְיָצָא לִקְרַאת אָבִיו אֶל אֶרֶץ גֹּשֶׁן.

הוּא נָפַל עַל הַצַּוָּאר שֶׁל יַעֲקֹב וּשְׁנֵיהֶם בָּכוּ.
יַעֲקֹב אָמַר אֶל יוֹסֵף:

אָמוּתָה הַפַּעַם, אַחֲרֵי רְאוֹתִי אֶת פָּנֶיךָ,
כִּי עוֹדְךָ חַי.

בַּסִּדְרָה "וַיִּגַּשׁ" כָּתוּב:

וַיָּבֹאוּ מִצְרָיְמָה יַעֲקֹב וְכָל זַרְעוֹ אִתּוֹ.
וַיֶּאְסֹר יוֹסֵף מֶרְכַּבְתּוֹ, וַיַּעַל לִקְרַאת
יִשְׂרָאֵל אָבִיו גֹּשְׁנָה. וַיֵּרָא אֵלָיו וַיִּפֹּל
עַל צַוָּארָיו וַיֵּבְךְּ.

וַיֹּאמֶר יִשְׂרָאֵל: אָמוּתָה הַפָּעַם, אַחֲרֵי
רְאוֹתִי אֶת פָּנֶיךָ, כִּי עוֹדְךָ חָי.

בְּרֵאשִׁית מו: ו, כט, ל.

זַרְעוֹ – בָּנָיו וּבְנֵי בָּנָיו, all his descendants,

יַעֲקֹב לִפְנֵי פַּרְעֹה

יוֹסֵף הֵבִיא אֶת יַעֲקֹב אָבִיו,

וְהֶעֱמִיד אוֹתוֹ לִפְנֵי פַּרְעֹה.

פַּרְעֹה שָׁאַל אֶת יַעֲקֹב:

בֶּן כַּמָּה שָׁנִים אַתָּה?

יַעֲקֹב עָנָה:

אֲנִי בֶּן מֵאָה וּשְׁלֹשִׁים שָׁנָה.

מְעַט וְרָעִים הֵם יְמֵי חַיַּי,

וְלֹא הִשִּׂיגוּ אֶת יְמֵי חַיֵּי אֲבוֹתַי.

וְיַעֲקֹב בֵּרַךְ אֶת פַּרְעֹה וְיָצָא.

פַּרְעֹה אָמַר אֶל יוֹסֵף:

אֶרֶץ מִצְרַיִם לְפָנֶיךָ הִיא.

הוֹשֵׁב אֶת אָבִיךָ וְכָל מִשְׁפַּחְתּוֹ

בַּמָּקוֹם הַיּוֹתֵר טוֹב בָּאָרֶץ, בְּאֶרֶץ גֹּשֶׁן.

יוֹסֵף עָשָׂה כַּאֲשֶׁר צִוָּה פַּרְעֹה.

וְהוּא כִּלְכֵּל אֶת כָּל מִשְׁפַּחְתּוֹ,

כָּל הַשָּׁנִים שֶׁל הָרָעָב.

בַּסִּדְרָה "וַיִּגַּשׁ" כָּתוּב:

וַיְבָרֶךְ יַעֲקֹב אֶת פַּרְעֹה, וַיֵּצֵא מִלִּפְנֵי פַּרְעֹה. וַיּוֹשֵׁב יוֹסֵף אֶת אָבִיו וְאֶת אֶחָיו בְּמֵיטַב הָאָרֶץ, כַּאֲשֶׁר צִוָּה פַרְעֹה.

וַיְכַלְכֵּל יוֹסֵף אֶת אָבִיו וְאֶת אֶחָיו וְאֵת כָּל בֵּית אָבִיו.

וַיֵּשֶׁב יִשְׂרָאֵל בְּאֶרֶץ מִצְרַיִם, בְּאֶרֶץ גֹּשֶׁן.

בְּרֵאשִׁית מז: י, יא, יב, כז

בְּמֵיטַב הָאָרֶץ – בַּמָּקוֹם הַיּוֹתֵר טוֹב בָּאָרֶץ.

וַיְחִי

מוֹת יַעֲקֹב

יַעֲקֹב הָיָה בְּמִצְרַיִם שְׁבַע עֶשְׂרֵה שָׁנָה.

כַּאֲשֶׁר קָרְבוּ יְמֵי יַעֲקֹב לָמוּת,

הֵבִיא יוֹסֵף אֵלָיו אֶת שְׁנֵי בָּנָיו, מְנַשֶּׁה וְאֶפְרַיִם.

יַעֲקֹב חִבֵּק אוֹתָם וְנָשַׁק אוֹתָם,

וְאַחֲרֵי כֵן בֵּרַךְ אֶת יוֹסֵף וְאֶת שְׁנֵי בָּנָיו.

אַחֲרֵי הַבְּרָכָה הוֹסִיף וְאָמַר אֶל בְּנֵי יוֹסֵף:

כָּל אָב עִבְרִי יְבָרֵךְ אֶת בָּנָיו בַּדְּבָרִים הָאֵלֶּה:

יְשִׂימְךָ אֱלֹקִים כְּאֶפְרַיִם וְכִמְנַשֶּׁה!

יַעֲקֹב קָרָא לְכָל בָּנָיו,
וְהוּא בֵּרַךְ אוֹתָם, וְאַחֲרֵי כֵן אָמַר:
אַל תִּקְבְּרוּ אוֹתִי בְּאֶרֶץ מִצְרַיִם.
קִבְרוּ אוֹתִי בִּמְעָרַת הַמַּכְפֵּלָה,
אֲשֶׁר שָׁם נִקְבְּרוּ אֲבוֹתַי, אַבְרָהָם וְיִצְחָק.
בָּנָיו הִבְטִיחוּ לוֹ לַעֲשׂוֹת זֹאת.
יַעֲקֹב מֵת כַּאֲשֶׁר הָיָה
בֶּן מֵאָה אַרְבָּעִים וָשֶׁבַע שָׁנִים.

בַּסִּדְרָה "וַיְחִי" כָּתוּב:

וַיְצַו יַעֲקֹב אוֹתָם וַיֹּאמֶר אֲלֵיהֶם: אֲנִי נֶאֱסָף אֶל עַמִּי. קִבְרוּ אוֹתִי אֶל אֲבוֹתָי בַּמְּעָרָה, אֲשֶׁר בִּשְׂדֵה הַמַּכְפֵּלָה, בְּאֶרֶץ כְּנָעַן.

שָׁמָּה קָבְרוּ אֶת אַבְרָהָם וְאֵת שָׂרָה אִשְׁתּוֹ. שָׁמָּה קָבְרוּ אֶת יִצְחָק וְאֵת רִבְקָה אִשְׁתּוֹ. וְשָׁמָּה קָבַרְתִּי אֶת לֵאָה.

בְּרֵאשִׁית מט: כט, ל, לא

אֲנִי נֶאֱסָף אֶל עַמִּי – אֲנִי מֵת.

מוֹת יוֹסֵף

יוֹסֵף נָפַל עַל פְּנֵי אָבִיו וּבָכָה.
וְכָל הָאַחִים בָּכוּ עַל מוֹת אֲבִיהֶם.
כַּאֲשֶׁר עָבְרוּ יְמֵי הָאֵבֶל בְּמִצְרַיִם,
עָלוּ יוֹסֵף וְאֶחָיו אֶל אֶרֶץ כְּנַעַן,
וְקָבְרוּ אֶת יַעֲקֹב בִּמְעָרַת הַמַּכְפֵּלָה.
אַחֲרֵי כֵן שָׁבוּ כֻּלָּם אֶל מִצְרַיִם.
יוֹסֵף יָשַׁב בְּמִצְרַיִם שָׁנִים רַבּוֹת,
וְהָיוּ לוֹ בָּנִים וּבְנֵי בָנִים.
לִפְנֵי מוֹתוֹ אָמַר יוֹסֵף לְאֶחָיו:
יָבֹא יוֹם וַה׳ יִזְכֹּר אֶתְכֶם,
וְיוֹצִיא אֶתְכֶם מִן הָאָרֶץ הַזֹּאת
וְיָבִיא אֶתְכֶם אֶל אֶרֶץ אֲבוֹתֵינוּ.
בַּיּוֹם הַהוּא תִּקְחוּ גַם אֶת עַצְמוֹתַי מִזֶּה.

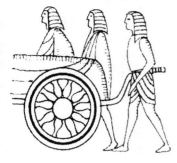

יוֹסֵף מֵת בֶּן מֵאָה וְעֶשֶׂר שָׁנִים,
וְהֵם חָנְטוּ אוֹתוֹ וְשָׂמוּ אוֹתוֹ בְּאָרוֹן,
עַד בֹּא יוֹם יְצִיאַת מִצְרַיִם.

בַּסִּדְרָה "וַיְחִי" כָּתוּב:

וַיֹּאמֶר יוֹסֵף אֶל אֶחָיו:
אָנֹכִי מֵת, וֵאלֹהִים פָּקֹד יִפְקֹד אֶתְכֶם,
וְהֶעֱלָה אֶתְכֶם מִן הָאָרֶץ הַזֹּאת אֶל הָאָרֶץ, אֲשֶׁר נִשְׁבַּע לְאַבְרָהָם לְיִצְחָק וּלְיַעֲקֹב.
וַיַּשְׁבַּע יוֹסֵף אֶת בְּנֵי יִשְׂרָאֵל לֵאמֹר:
פָּקֹד יִפְקֹד אֱלֹהִים אֶתְכֶם, וְהַעֲלִיתֶם אֶת עַצְמוֹתַי מִזֶּה.
וַיָּמָת יוֹסֵף בֶּן מֵאָה וָעֶשֶׂר שָׁנִים.
וַיַּחַנְטוּ אוֹתוֹ, וַיִּישֶׂם בָּאָרוֹן בְּמִצְרָיִם.

בְּרֵאשִׁית נ: כד, כה, כו

יִפְקֹד – יִזְכֹּר. נִשְׁבַּע – swore. וַיַּחַנְטוּ – חָנְטוּ, they embalmed. וַיִּישֶׂם – שָׂמוּ אוֹתוֹ. וַיַּשְׁבַּע – הִשְׁבִּיעַ he made them swear.

DICTIONARIES

VOCABULARY LIST

6 יַעֲקֹב וְעֵשָׂו

תְּאוֹמִים	twins
בְּכוֹר	first born
צַיָּד	hunter
צָד	[he] hunted
צַיִד	hunting, game
תָּם	mild, simple
מַעֲשִׂים (מַעֲשֶׂה)	deeds

8 הַבְּכוֹרָה

רָעֵב	hungry
מְכֹר	sell
נָזִיד	pottage, stew
מְבַשֵּׁל	is cooking
עֲדָשִׁים	lentils
לָמוּת	to die
בְּכוֹרָה	birthright
מָכַר	[he] sold

12 יִצְחָק חָפֵץ לְבָרֵךְ אֶת עֵשָׂו

כָּהוּ	were dim
חָשׁוּב	important
מוֹת	the death of
רָאוּי	worthy
צוֹדָה	hunt
מַטְעַמִּים	tasty food
הָבֵא	bring
בִּרְכָתִי (בְּרָכָה)	my blessing

רִבְקָה שָׁמְעָה אֶת כָּל דִּבְרֵי יִצְחָק

גְּדָיִים (גְּדִי)	kids
בִּמְקוֹם	in place of, instead of
שָׂעִיר	hairy
חָלָק	smooth
יְמַשֵּׁשׁ	[he] will feel
קְלָלָה	curse
בְּרָכָה	blessing

14 יַעֲקֹב הָלַךְ אֶל אֹהֶל יִצְחָק

עוֹרוֹת (עוֹר)	skins
צַוָּארוֹ (צַוָּאר)	his neck
הִלְבִּישָׁה	[she] dressed
לְקַבֵּל	to receive
תְּבָרֵךְ	you will bless

16 יִצְחָק בֵּרַךְ אֶת יַעֲקֹב

קוֹל	voice
גַּשׁ	come near
אֲמַשֵּׁשׁ	I will feel
אֲבָרֵךְ	I will bless
נָשַׁק	kissed

18 עֵשָׂו בָּא אֶל אֹהֶל יִצְחָק

הֵבֵאתִי	I brought
חָרַד	[he] trembled
חֲרָדָה	a trembling
צָעַק	[he] cried out

צְעָקָה	a cry
רִחֵם	had pity
קְצָרָה	short

20 יַעֲקֹב בָּרַח אֶל הָעִיר חָרָן

נוֹדַע	became known
שׁוֹלַחַת	is sending
מָצָא חֵן	found favor
אֵל שַׁדַּי	God Almighty

24 חֲלוֹם יַעֲקֹב

שָׁכַב	[he] lay down
נִרְדַּם	[he] fell asleep
חָלַם	[he] dreamed
סֻלָּם	a ladder
מַגִּיעַ	reaches
מִשְּׁנָתוֹ (שֵׁנָה)	from his sleep
קָדוֹשׁ	holy

26 יַעֲקֹב בָּא אֶל חָרָן

מַצֵּבָה	a monument
שָׁם	there
לִשְׁמֹר	to watch
לְהָשִׁיב	to bring back
רָבְצוּ	were lying
עֶדְרֵי צֹאן	flocks of sheep
לְהַשְׁקוֹת	to water
חִכּוּ (חִכָּה)	[they] waited
מֵאַיִן?	from where?

28 רָחֵל בָּאָה עִם הַצֹּאן

נָשָׂא	raised
שָׂמַח	was happy
גָּלַל	[he] rolled
הִשְׁקָה	[he] watered
הִגִּיד	[he] told
אָחוֹת	sister
חִבֵּק	embraced
הֵבִיא	[he] brought

30 רָחֵל וְלֵאָה

הַבְּכִירָה	the first born
הַצְּעִירָה	the younger [one]
אֶעֱבֹד	I will serve
הִסְכִּים	[he] agreed
רִמָּה	[he] deceived
תַּעֲבֹד	you will serve
עָבַד	[he] served

32 יַעֲקֹב הָיָה לְאִישׁ עָשִׁיר

שָׂכָר	reward, wage
בְּעַד	for
עֲבוֹדָתוֹ – עֲבוֹדָה שֶׁלּוֹ	his work
נָקֹד	speckled
טָלוּא	spotted
חֲמוֹרִים (חֲמוֹר)	donkeys
שְׁפָחוֹת (שִׁפְחָה)	maid servants
לֹא נָתַן אוֹתוֹ	did not let him

34 יַעֲקֹב בָּרַח מִבֵּית לָבָן

מוֹלַדְתְּךָ – הַמּוֹלֶדֶת שֶׁלְּךָ	your birthplace
לִגְזֹז	to shear
הוֹשִׁיב	[he] settled
נָשָׁיו – נָשִׁים שֶׁלּוֹ	his wives

רָדַף	[he] pursued
בִּקֵּשׁ	[he] asked
הִשְׁלִים	[he] made peace
נִפְרְדוּ	[they] separated

38 יַעֲקֹב שָׁלַח מִנְחָה לְעֵשָׂו

מַלְאָכִים (מַלְאָךְ)	messengers
אַרְבַּע מֵאוֹת	four hundred
חָשַׁב	[he] thought
הַצִּילֵנִי	save me
פֶּן	lest
תְּפִלָּה	prayer
שׁוּרָה אֲרֻכָּה	a long line
לִבּוֹ (לֵב)	his heart
יִשְׁכַּח (שָׁכַח)	he will forget
כַּעְסוֹ – הַכַּעַס שֶׁלּוֹ	his anger

40 יִשְׂרָאֵל

נַחַל	stream
הֶעֱבִיר	[he] took across
פַּכִּים (פַּךְ)	flasks, jars
בִּדְמוּת	in the form
שָׂרָה	[he] wrestled
חָזָק	strong
לְנַצֵּחַ	to overcome
לַעֲזֹב	to leave

42 עֵשָׂו הִשְׁלִים עִם יַעֲקֹב

עַד	until
פָּגַשְׁתִּי	I met
שָׁלַחְתִּי	I sent
הִפְצִיר	urged

44 מוֹת רָחֵל וּמוֹת יִצְחָק

מוֹת	the death of
חוֹלָה	sick
מֵתָה	[she] died
קָבַר	buried
קְבוּרָתָהּ (קְבוּרָה)	her grave
מְעָרַת הַמַּכְפֵּלָה	Cave of Machpelah

48 כְּתֹנֶת פַּסִּים

עַתָּה	now
יוּכַל	[he] will be able
צָרוֹת (צָרָה)	troubles
חֲדָשָׁה	new [f.]
בֶּן זְקֻנִים	son of his old age
יוֹתֵר	more
מִכֻּלָּם	than all of them
כְּתֹנֶת פַּסִּים	a coat of many colors
קִנְאוּ	[they] envied
שָׂנְאוּ	[they] hated

50 חֲלוֹמוֹת יוֹסֵף

מְאַלְּמִים אֲלֻמִּים	binding sheaves
לִמְלֹךְ	to be king
גָּעַר	[he] rebuked
עוֹד יוֹתֵר	even more

52 הִנֵּה בַּעַל הַחֲלוֹמוֹת בָּא

לִרְעוֹת	to pasture
זְמַן רַב	a long time
שְׁלוֹם (שָׁלוֹם)	the welfare of

מָצָא [he] found
מֵרָחוֹק from afar
בַּעַל הַחֲלוֹמוֹת the master of dreams
נַשְׁלִיךְ we will throw
בּוֹר pit
אַל תִּשְׁפְּכוּ דָם shed no blood

54 מְכִירַת יוֹסֵף

הִפְשִׁיטוּ [they] stripped
רֵיק empty
בְּלִי without
יָמוּת [he] will die
הֶעֱלוּ [they] brought [him] up
מְכִירַת יוֹסֵף the selling of Joseph

56 הַיֶּלֶד אֵינֶנּוּ

קָרַע tore
אֵיךְ how
אָבֹא I will come
טָבְלוּ [they] dipped
הִכִּיר [he] recognized

58 יוֹסֵף בְּמִצְרַיִם

שַׂר officer
הִצְלִיחַ [he] succeeded
הִפְקִיד [he] appointed
בִּגְלַל for the sake of
בַּעֲלָהּ (בַּעַל) her husband
בֵּית הַסֹּהַר the prison
אֲסִירִים (אָסִיר) prisoners

שַׂר הַמַּשְׁקִים the chief cupbearer
שַׂר הָאוֹפִים the chief baker
מְשָׁרֵת serving

60 הַחֲלוֹם שֶׁל שַׂר הַמַּשְׁקִים

פִּתְרוֹן interpretation
גֶּפֶן vine
שָׂרִיגִים (שָׂרִיג) branches
שָׂחַטְתִּי I pressed
עֲנָבִים (עֵנָב) grapes
כּוֹס cup
חֶסֶד a favor

62 הַחֲלוֹם שֶׁל שַׂר הָאוֹפִים

בַּסַּל הָעֶלְיוֹן in the uppermost basket
עֻגוֹת (עֻגָה) cakes
עוֹף bird
יִתְלֶה [he] will hang
בְּשָׂרְךָ (בָּשָׂר) your flesh
פָּתַר [he] interpreted
עַל כַּנּוֹ on his position
שָׁכַח [he] forgot

66 חֲלוֹם פַּרְעֹה

עַל שְׂפַת הַיְאוֹר on the bank of the river
פָּרוֹת (פָּרָה) cows
שְׁמֵנוֹת fat [pl.]
אָחוּ pasture
דַּקּוֹת thin, skinny

רָעוֹת מַרְאֶה	bad looking, ugly
פָּקַח	opened [the eyes]
שִׁבֳּלִים (שִׁבֹּלֶת)	ears of grain
מְלֵאוֹת גַּרְעִינִים	full of kernels
צוֹמְחוֹת	[they] grow
בָּלְעוּ	[they] swallowed
חַרְטֻמִּים (חַרְטֹם)	magicians

68 פִּתְרוֹן הַחֲלוֹם

שָׂבָע	plenty
רָעָב	famine
כָּבֵד	heavy, severe

70 יוֹסֵף – הַמִּשְׁנֶה לַמֶּלֶךְ

עֵצָה	advice
נָבוֹן	man of understanding
פְּקִידִים (פָּקִיד)	officials
יִקְבְּצוּ (קָבַץ)	[they] will gather
לְפִקָּדוֹן	for safekeeping
הֵסִיר	removed
טַבַּעְתּוֹ (טַבַּעַת)	his rings
מוֹשֵׁל	ruler
מִשְׁנֶה לַמֶּלֶךְ	second to the king

72 הָרָעָב בְּאֶרֶץ כְּנַעַן

אָסְפוּ (אָסַף)	[they] gathered
בָּר	grain
רַב	much
מַחְסָנִים (מַחְסָן)	storehouses
לִקְנוֹת	to buy
יָרֵא	[he] feared
יִקְרֶה	will happen
קָרָה	happened
אָסוֹן	misfortune

74 מְרַגְּלִים אַתֶּם

קָשׁוֹת	harshly
מְרַגְּלִים (מְרַגֵּל)	spies
כֵּנִים (כֵּן)	honest
נִשְׁאַר	remained
בֶּאֱמֶת	truly

76 יוֹסֵף רִחֵם עַל הָאַחִים

יִשָּׁאֵר	will remain
יָשׁוּבוּ	will return
דַּי	enough
עוֹנֵשׁ	punishes
סָר אֶל הַצַּד	turned aside
לְמַלֵּא	to fill
לְהָשִׁיב	to return
כַּסְפָּם (כֶּסֶף)	their money
צֵדָה	provision

78 בַּדֶּרֶךְ

צְרוֹר	bundle
לֵב	heart
בְּלֵב כָּבֵד	with a heavy heart
לְבַדּוֹ	he alone

80 יַעֲקֹב נָתַן לָהֶם אֶת בִּנְיָמִין

גָּמְרוּ (גָּמַר)	[they] finished
שֶׁבֶר	grain

שׁוּבוּ	go back
קְנוּ	buy
אָסוּר	it is forbidden
בְּלִי	without
עוֹד מְעַט	soon

82 בִּנְיָמִין בְּמִצְרַיִם

בֵּין	among
נִגְּשׁוּ	approached
מָצְאוּ (מָצָא)	found
אַל תִּירָאוּ!	fear not!
קִבַּלְנוּ (קִבֵּל)	[we] received
בְּעַד	for
מַטְמוֹן	[hidden] treasure

84 הָאַחִים בְּבֵית יוֹסֵף

לִרְחֹץ	to wash
מִסְפּוֹא	fodder
הֵכִינוּ	[they] prepared
לְשָׁלוֹם	of their welfare
יָחְנְךָ	may He be gracious to you

86 יוֹסֵף בָּכָה

הִתְמַלֵּא	was filled
רַחֲמִים	pity, compassion
הוֹשִׁיב	[he] settled
גִּיל	age
לְפִי הַגִּיל	according to age
וְכֵן הָלְאָה	and so on
הִתְפַּלְאוּ (הִתְפַּלֵּא)	[they] wondered
גָּבִיעַ	goblet, cup

88 הַגָּבִיעַ

טוֹבֵי לֵב	glad of heart
רוֹדֵף	pursuing
תַּחַת	instead
מְנַחֵשׁ	[he] divines
חָלִילָה	God forbid!
חִפֵּשׂ	searched
הִתְחִיל	[he] began
נִמְצָא	was found
הַמָּלוֹן	the lodging place

90 כֻּלָּנוּ נִהְיֶה עֲבָדִים

פַּחַד	fear
מַה נֹּאמַר?	what shall we say?
מַה נְּדַבֵּר?	what shall we speak?
כֻּלָּנוּ	all of us
חָטָאנוּ	we sinned
לְכוּ לְשָׁלוֹם	go in peace

94 יוֹסֵף הִתְוַדַּע אֶל אֶחָיו

הִתְוַדַּע	made himself known
יָמוּת	[he] will die
צַעַר	sorrow
הוֹסִיף	continued
לְהִתְאַפֵּק	to control himself
בִּבְכִי	in weeping
נִבְהֲלוּ	were frightened

96 אַל תִּרְגְּזוּ בַּדֶּרֶךְ

עַתָּה	now
הִנֵּה	here

עֲגָלוֹת (עֲגָלָה)	wagons
חֲלִיפוֹת בְּגָדִים	change of clothing
שִׁלַּח	[he] sent them away
אַל תִּרְגְּזוּ	do not quarrel

98 יַעֲקֹב בְּמִצְרַיִם

חַי	is living
לֹא הֶאֱמִין	did not believe
בְּטֶרֶם אָמוּת	before I die
נְכָדִים (נֶכֶד)	grandsons
נְכָדוֹת (נֶכְדָּה)	granddaughters
אָסַר	hitched
מֶרְכָּבָה	chariot
אָמוּתָה הַפַּעַם	now I can die
אַחֲרֵי רְאוֹתִי	after seeing

100 יַעֲקֹב לִפְנֵי פַּרְעֹה

הֶעֱמִיד	he placed
לֹא הִשִּׂיגוּ	did not reach
הוֹשֵׁב	let [them] dwell, settle
כִּלְכֵּל	[he] sustained, supported

102 מוֹת יַעֲקֹב

קָרְבוּ (קָרַב)	drew near, approached
לָמוּת	to die
יְשִׂמְךָ אֱלֹקִים	may God make you
אַל תִּקְבְּרוּ	do not bury
נִקְבְּרוּ	were buried
הִבְטִיחוּ(הִבְטִיחַ)	promised

104 מוֹת יוֹסֵף

אֵבֶל	mourning
יִזְכֹּר	will remember
יוֹצִיא	will take [you] out
יָבִיא	will bring
עַצְמוֹתַי (עֶצֶם)	my bones
חָנְטוּ	[they] embalmed
עַד בּוֹא	until the coming
יְצִיאַת מִצְרַיִם	the going out of Egypt

מִלּוֹן עִבְרִי – אַנְגְּלִי

א.

אָבֹא	I will come
אֵבֶל	mourning
אֲבָרֶךְ	I will bless
אָחוּ	pasture
אָחוֹת	sister
אַחֲרֵי רְאוֹתִי	after seeing
אֵיךְ	how
אֵל שַׁדַּי	God Almighty
אַל תִּרְגְּזוּ	do not quarrel
אַל תִּירָאוּ	fear not
אַל תִּשְׁפְּכוּ דָם	shed no blood
אַל תִּקְבְּרוּ	do not bury
אָמוּתָה הַפַּעַם	now I can die
אֲמַשֵּׁשׁ	I will feel
אֱמֶת	truth
אָסוּר	it is forbidden
אָסוֹן	misfortune
אֲסִירִים (אָסִיר)	prisoners
אָסְפוּ (אָסַף)	[they] gathered
אָסַר	hitched
אֶעֱבֹד (עָבַד)	I will serve
אַרְבַּע מֵאוֹת	four hundred

ב.

בֶּאֱמֶת	truly
בִּגְלַל	for the sake of
בִּדְמוּת	in the form
בֵּין	among
בּוֹר	pit
בְּטֶרֶם אָמוּת	before I die
בֵּית הַסֹּהַר	the prison
בְּכוֹר	first born
בְּכוֹרָה	birthright
בְּכִי	weeping
בְּכִירָה	first born [f.]
בְּלֵב כָּבֵד	with a heavy heart
בְּלִי	without
בָּלְעוּ (בָּלַע)	[they] swallowed
בִּמְקוֹם	in place of, instead
בֶּן זְקֻנִים	son of his old age
בַּסַּל הָעֶלְיוֹן	in the uppermost basket
בְּעַד	for
בַּעַל הַחֲלוֹמוֹת	the master of dreams
בַּעְלָהּ (בַּעַל)	her husband

בִּקֵּשׁ [he] asked
בָּר grain
בְּרָכָה blessing
בִּרְכָתִי (בְּרָכָה) my blessing
בְּשָׂרְךָ (בָּשָׂר) your flesh

ג.

גָּבִיעַ goblet, cup
גְּדָיִים (גְּדִי) kids
גִּיל age
גָּלַל [he] rolled
גָּמְרוּ (גָּמַר) [they] finished
גֶּפֶן vine
גָּעַר [he] rebuked
גַּרְעִינִים (גַּרְעִין) kernels
גַּשׁ come near

ד.

דַּקּוֹת (דַּקָּה) thin, skinny [pl.]
דֵּי, דַּי enough

ה.

הָבֵא bring
הֵבֵאתִי I brought
הִבְטִיחוּ (הִבְטִיחַ) promised [pl.]
הֵבִיא [he] brought
הַבְּכִירָה the first born [f.]
הִגִּיד [he] told
הוֹסִיף continued
הוֹשֵׁב let [them] dwell, settle
הוֹשִׁיב [he] settled
הֵכִינוּ (הֵכִין) [they] prepared

הִכִּיר [he] recognized
הִלְבִּישָׁה [she] dressed
הִנֵּה here
הֵסִיר removed
הִסְכִּים [he] agreed
הֶעֱבִיר [he] took across
הֶעֱלוּ [they] brought up
הֶעֱמִיד [he] placed
הִפְקִיד [he] appoin ted
הִפְצִיר [he] urged
הִפְשִׁיטוּ [they] stripped
הַצִּילֵנִי save me
הִצְלִיחַ [he] succeeded
הַצְּעִירָה the younger [f.]
הִשְׁלִים [he] made peace
הִשְׁקָה [he] watered
הִתְוַדַּע made himself known
הִתְחִיל [he] began
הִתְפַּלְּאוּ [they] wondered
הִתְמַלֵּא was filled

ו.

וְכֵן הָלְאָה and so on

ז.

זְמַן רַב a long time

ח.

חִבֵּק [he] embraced
חֲדָשָׁה (חָדָשׁ) new [f.]
חוֹלָה (חוֹלֶה) sick [f.]
חָזָק strong
חָטָאנוּ we sinned

חַי	is living
חִכּוּ (חִכָּה)	[they] waited
חָלִילָה	God forbid!
חֲלִיפוֹת בְּגָדִים	changes of clothes
חָלַם	[he] dreamt
חָלָק	smooth
חֲמוֹרִים (חֲמוֹר)	donkeys
חָנְטוּ (חָנַט)	[they] embalmed
חֶסֶד	a favor
חִפֵּשׂ	searched
חָרַד	trembled
חֲרָדָה	a trembling
חַרְטֻמִּים(חַרְטֹם)	magicians
חָשַׁב	thought
חָשׁוּב	important

ט.

טָבְלוּ (טָבַל)	[they] dipped
טַבַּעְתּוֹ (טַבַּעַת)	his ring
טוֹבֵי לֵב	with a merry heart
טָלוּא	spotted

י.

יְאֹר, יְאוֹר	river
יָבִיא	[he] will bring
יוּכַל	[he] will be able
יוֹצִיא	[he] will take out
יוֹתֵר	more
יִזְכֹּר	[he] will remember
יְחָנְךָ	may He be gracious to you
יָמוּת	[he] will die
יְמַשֵּׁשׁ	[he] will feel
יְצִיאַת מִצְרַיִם	the going out of Egypt
יִקָּבְצוּ (קָבַץ)	[they] will gather
יִקְרֶה	will happen
יָרֵא	[he] feared
יִשָּׁאֵר	[he] will remain
יָשׁוּבוּ	[they] will return
יִשְׁכַּח	[he] will forget
יְשִׂמְךָ אֱלֹקִים	may God make you
יִתְלֶה	[he] will hang

כ.

כָּבֵד	heavy, severe
כָּהוּ	were dim
כּוֹס	cup
כִּלְכֵּל	sustained, supported
כֻּלָּנוּ	all of us
כֵּנִים (כֵּן)	honest [pl.]
כַּנּוֹ (כַּן)	his position
כַּסְפָּם – כֶּסֶף שֶׁלָּהֶם	their money
כַּעֲסוֹ–כַּעַס שֶׁלּוֹ	his anger
כְּתֹנֶת פַּסִּים	a coat of many colors

ל.

לֹא הֶאֱמִין	did not believe
לֹא הִשִּׂיגוּ	did not reach
לֹא נָתַן אוֹתוֹ	did not let him
לֵב	heart
לִבּוֹ – לֵב שֶׁלּוֹ	his heart
לְבַדּוֹ	he alone
לִגְזֹז	to shear
לְהָשִׁיב	to return, to give back
לְהַשְׁקוֹת	to water
לְהִתְאַפֵּק	to control himself
לְכוּ לְשָׁלוֹם	go in peace
לָמוּת	to die
לְמַלֵּא	to fill
לִמְלֹךְ	to be king
לְנַצֵּחַ	to overcome
לַעֲזֹב	to leave
לְפִי הַגִּיל	according to age
לְפִקָּדוֹן	for safekeeping
לְקַבֵּל	to receive
לִקְנוֹת	to buy
לִרְחֹץ	to wash
לִרְעוֹת	to pasture
לִשְׁמֹר	to watch

מ.

מֵאַיִן	from where
מְאַלְּמִים אֲלֻמִּים	binding sheaves
מְבַשֵּׁל	is cooking
מַגִּיעַ	reaches
מַה נֹּאמַר	what shall we say
מַה נְּדַבֵּר	what shall we speak
מוֹשֵׁל	ruler
מוֹת	the death of
מוֹלַדְתְּךָ – מוֹלֶדֶת שֶׁלְּךָ	your birthplace
מַחְסָנִים (מַחְסָן)	storehouses
מַטְעַמִּים	tasty food
מַטְמוֹן	hidden treasure
מָכַר	[he] sold
מְכֹר	sell
מְכִירַת יוֹסֵף	the selling of Joseph
מִכֻּלָּם	than all of them
מְלֵאוֹת גַּרְעִינִים	full of kernels
מַלְאָכִים (מַלְאָךְ)	messengers
מְנַחֵשׁ	[he] divines
מִסְפּוֹא	fodder
מְעָרַת הַמַּכְפֵּלָה	the Cave of Machpelah
מַעֲשִׂים (מַעֲשֶׂה)	deeds
מָצָא, מָצְאוּ	[he] found, [they] found
מָצָא חֵן	found favor
מַצֵּבָה	monument
מָקוֹם	place
מְרַגְּלִים (מְרַגֵּל)	spies
מֵרָחוֹק	from afar
מֶרְכָּבָה	chariot

מִשְׁנֶה לַמֶּלֶךְ	second to the king
מִשְּׁנָתוֹ (שֵׁנָה)	from his sleep
מְשָׁרֵת	serving
מֵתָה (מֵת)	[she] died

נ.

נָא	please
נִבְהֲלוּ (נִבְהַל)	[they] were frightened
נָבוֹן	man of understanding
נִגְּשׁוּ (נִגַּשׁ)	[they] approached
נוֹדַע	became known
נָזִיד	pottage, stew
נַחַל	stream
נְכָדִים (נֶכֶד)	grandsons
נְכָדוֹת (נֶכְדָּה)	granddaughters
נִמְצָא	was found
נִפְרְדוּ (נִפְרַד)	[they] separated
נָקֹד	speckled
נִקְבְּרוּ	[they] were buried
נִשְׁאַר	remained
נַשְׁלִיךְ	we will throw
נָשָׁיו – נָשִׁים שֶׁלּוֹ	his wives
נָשַׁק	[he] kissed
נָשָׂא	raised

ס.

סַל	basket
סֻלָּם	a ladder
סָר אֶל הַצַּד	[he] turned aside

ע.

עָבַד	[he] served, worked
עֲבוֹדָתוֹ – עֲבוֹדָה שֶׁלּוֹ	his work
עַד	until
עַד בּוֹא	until the coming
עֶדְרֵי צֹאן	flocks of sheep
עֲדָשִׁים	lentils
עֻגוֹת (עֻגָּה)	cakes
עֲגָלוֹת (עֲגָלָה)	wagons
עוֹד יוֹתֵר	even more
עוֹד מְעַט	soon
עוֹנֵשׁ	punishes
עוֹף	bird
עוֹרוֹת (עוֹר)	skin
עַל כַּנּוֹ	on his position
עַל שְׂפַת הַיְאוֹר	on the bank of the river
עֲנָבִים (עֵנָב)	grapes
עֵצָה	advice
עַצְמוֹתַי (עֶצֶם)	my bones
עַתָּה	now

פ.

פָּגַשְׁתִּי (פָּגַשׁ)	I met
פַּחַד	fear
פַּכִּים (פַּךְ)	flasks, jars
פֶּן	lest
פִּקָּדוֹן	safekeeping
פְּקִידִים (פָּקִיד)	officials
פָּקַח	opened [the eyes]

פָּרוֹת (פָּרָה) — cows
פָּתַר — [he] interpreted
פִּתְרוֹן — interpretation

צ.

צַד — side
צָד — hunted
צֵדָה — provision
צוֹדָה — hunt
צַוָּארוֹ – צַוָּאר שֶׁלּוֹ — his neck
צוֹמְחוֹת — [they] grow
צַיִד — hunting, game
צַיָּד — hunter
צְעִירָה — young [f.]
צָעַק — [he] cried out
צְעָקָה — a cry
צַעַר — sorrow
צְרוֹר — bundle
צָרוֹת (צָרָה) — troubles

ק.

קִבַּלְנוּ (קִבֵּל) — we received
קְבוּרָתָהּ (קְבוּרָה) — her grave
קָבַר — buried
קָדוֹשׁ — holy
קוֹל — voice, sound
קְלָלָה — curse
קִנְּאוּ (קִנֵּא) — [they] envied
קְנוּ — buy
קְצָרָה — short [f.]
קָרְבוּ (קָרַב) — drew near, approached
קָרָה — happened
קָרַע — tore
קָשׁוֹת — harshly

ר.

רָאוּי — worthy
רַב — much
רָבְצוּ — were lying
רָדַף — [he] pursued
רוֹדֵף — pursuing
רִחֵם — had pity
רַחֲמִים — pity, compassion
רֵיק — empty
רִמָּה — deceived
רָעָב — famine
רָעֵב — hungry
רָעוֹת מַרְאֶה — bad looking, ugly

שׁ.

שָׁאַל לָהֶם לְשָׁלוֹם — asked them of their welfare
שֶׁבֶר — grain
שִׁבֳּלִים (שִׁבֹּלֶת) — ears of grain
שׁוּבוּ — go back
שׁוֹלַחַת — is sending
שׁוּרָה אֲרֻכָּה — a long line
שָׁכַב — [he] lay down
שָׁכַח — [he] forgot
שְׁלוֹם (שָׁלוֹם) — the welfare of

שִׁלַּח	[he] sent them away
שָׁלַחְתִּי (שָׁלַח)	I sent
שָׁם	there
שְׁמֵנוֹת (שָׁמֵן)	fat [pl.]
שְׁפָחוֹת (שִׁפְחָה)	maid servants

שׂ.

שָׂבָע	plenty
שָׂחַטְתִּי (שָׂחַט)	I pressed
שָׂכָר	reward, wage
שָׂמַח	was happy
שָׂנְאוּ (שָׂנֵא)	[they] hated
שָׂעִיר	hairy
שַׂר	officer, chief
שַׂר הָאוֹפִים	the chief baker
שַׂר הַמַּשְׁקִים	the chief cupbearer
שָׂרָה	[he] wrestled
שָׂרִיגִים (שָׂרִיג)	branches

ת.

תְּאוֹמִים	twins
תְּבָרֵךְ	you will bless
תַּחַת	instead
תָּם	mild, simple
תַּעֲבֹד	you will serve
תְּפִלָּה	prayer